Le management efficace

Approches pour diriger son équipe

Données de catalogage avant publication (Canada)

Bouchard, Nelson

Le management efficace

(Collection Affaires)

ISBN 2-7640-0919-4

1. Gestion. 2. Personnel – Direction. 3. Communication dans les organisations. 4. Personnel – Motivation. 5. Délégation des pouvoirs (Gestion). I. Titre. II. Collection : Collection Affaires (Éditions Quebecor).

HD33.B69 2005   658.4   C2004-942210-3

LES ÉDITIONS QUEBECOR
7, chemin Bates
Outremont (Québec)
H2V 4V7
Tél. : (514) 270-1746
www.quebecoreditions.com

©2005, Les Éditions Quebecor
Bibliothèque et Archives canada

Éditeur : Jacques Simard
Conception de la page couverture : Bernard Langlois
Illustration de la couverture : La Fleur Studio
Infographie : René Jacob, 15e Avenue infographie

Nous reconnaissons l'aide financière du gouvernement du Canada par l'entremise du Programme d'Aide au Développement de l'Industrie de l'Édition pour nos activités d'édition.

Le management efficace

Approches pour diriger son équipe

NELSON BOUCHARD

LES ÉDITIONS
Quebecor
QUEBECOR MEDIA

Avant-propos

Manager, c'est diriger, guider et innover tous les jours; c'est créer des liens entre les gens et concrétiser des idées; c'est agir dans le meilleur intérêt de chacun, employés, patrons et clients. Manager, c'est aussi assurer la continuité et la stabilité de votre entreprise.

Vous êtes manager ou vous comptez le devenir? Voici réunies une centaine d'observations qui vous permettront d'éviter des écueils, de contourner des obstacles et de faire des choix judicieux. Vous constaterez que bien des problèmes peuvent être évités ou solutionnés pour peu que l'on soit attentif.

Il y a mille manières de gérer, de diriger et de motiver ses employés. Il y a mille approches, mais certaines d'entre elles gagnent à être soulignées en raison de leur efficacité.

Ne plus faire de faux pas, c'est le rêve de tout manager. Voici donc des conseils qui vous seront utiles.

Embauchez les meilleurs employés

Se donner des chances de réussir son projet d'entreprise, c'est d'abord bâtir une équipe d'employés qui pourront s'intégrer à l'organisation. Chaque être humain mérite votre respect, mais vous ne vous entendrez pas avec tous, et tous ne seront pas productifs et donc satisfaits au sein de votre entreprise. Votre premier devoir de manager, c'est donc d'embaucher les meilleurs employés.

OBSERVATION 1

La première impression compte ; il ne sert à rien d'ignorer ce fait.

Si la première impression que l'on a de quelqu'un est négative, même si cela n'est pas fondé, on traînera cette perception négative, et il ne sert à rien de faire semblant du contraire. Pour ne pas être victime d'impressions non fondées persistantes, on peut toutefois se remémorer les règles suivantes :

- Évitez de juger trop rapidement ;

- Restez neutre le plus longtemps possible ;

- Prenez l'habitude de laisser passer du temps avant de vous faire une opinion sur quelqu'un.

- Restez ouvert à de nouvelles informations sur la personne.

Évidemment, lors d'un entretien d'embauche, vous n'avez pas toute la vie devant vous pour prendre une décision. Vous devrez malgré tout vous faire assez rapidement une opinion sur le candidat. Laissez passer au moins une heure avant de vous permettre de passer un commentaire (intérieur) sur la personne qui est en face de vous.

OBSERVATION 2

Oubliez lesdites qualités, concentrez-vous sur le comportement.

Lors d'une entrevue d'embauche, vous êtes, bien sûr, à la recherche du candidat idéal. Vous vous dites peut-être, par exemple : « Il faudra qu'il ait un caractère affirmé, de la créativité, de l'ordre, de la méthode, ou qu'elle soit persévérante... »

Or, ce qu'il vous faut détecter chez votre candidat, c'est sa capacité réelle, son comportement dans l'action. Pour cela, il est essentiel de l'amener à parler de son passé et surtout de son comportement dans tel ou tel genre de situation. Ainsi, ne lui demandez pas s'il est persévérant, mais comment il agirait dans tel ou tel contexte qui demande de la persévérance.

OBSERVATION 3

Faites un portrait réaliste de l'emploi à combler et de votre entreprise.

Toujours à la recherche du candidat idéal, vous décrivez à vos candidats le poste vacant ainsi que votre entreprise (ou celle dont vous avez la gérance). Avez-vous tendance à enjoliver la situation ? Oubliez-vous de dire que les heures de travail sont longues à la fin du mois, qu'il arrive qu'il y ait peu de travail durant quelques semaines et qu'ensuite tout déboule... et qu'on ne puisse plus partir en week-end ?

Oubliez-vous les côtés plus pénibles de l'entreprise et de l'emploi à combler ? Si oui, c'est une erreur.

On a parfois tendance à insister sur les avantages, sur les bénéfices, sur les beaux côtés d'un emploi, mais on oublie qu'en taisant ce qui est moins intéressant, on prend le risque que l'employé soit déçu par la suite. Si vous lui faites part dès ce moment des aspects défavorables aussi bien que des aspects favorables, vous éviterez de susciter de faux espoirs. Aucun emploi n'est parfait, tout le monde le sait, et il vaut donc mieux donner l'heure juste à la personne que vous vous apprêtez à choisir.

Un employé à qui l'on dresse un portrait trop mirifique d'un emploi ou d'une organisation aura des attentes irréalistes. Une fois désillusionné, il est possible qu'il devienne moins loyal et soit donc moins efficace. Il aura l'impression d'avoir été trompé, alors qu'en réalité vous aurez simplement voulu lui faire voir le beau côté des choses.

Moins les employés ont des attentes irréalistes, plus ils coopèrent efficacement.

Si vous avez déjà subi une opération, vous avez certainement noté que le chirurgien fait part des aspects réels, voire des dangers possibles qui s'y rattachent : il parle généralement d'une période de rétablissement maximale, de façon à éviter une déception, et fait part de tous les risques inhérents à l'opération. Dans le cas d'une offre d'emploi, il ne s'agit pas d'assombrir la réalité mais bien de la présenter telle qu'elle est, avec ses bons et ses moins bons côtés. Vous y gagnerez, car vos employés sauront à quoi s'en tenir s'ils intègrent votre entreprise en connaissant les aspects négatifs.

OBSERVATION 4

Quelques conseils pour l'entretien d'embauche.

Structurez votre entrevue et posez les mêmes questions à tous les candidats de manière à pouvoir comparer leurs réponses.

Évitez autant que possible les questions auxquelles on peut répondre par oui ou par non. Il s'agit de connaître le plus rapidement possible la personne qui est face à vous, et vous devez donc l'encourager à parler le plus possible.

Avant une entrevue, relisez le *curriculum vitae* de la personne que vous vous apprêtez à interviewer ; relisez également la description de l'emploi que vous voulez combler.

Veillez à mettre les candidats à l'aise ; ils seront plus efficaces et seront ainsi en mesure de mieux vous indiquer leurs capacités et leurs qualités. Présentez-vous, soyez gentil. Pour briser la glace, posez au départ des questions simples. Décrivez sommairement l'entrevue à venir et le temps que vous comptez y mettre.

Encouragez aussi vos candidats à vous poser des questions. Par celles-ci, vous en apprendrez beaucoup sur eux.

À la fin de l'entrevue, revoyez votre canevas d'entrevue pour vous assurer que vous avez posé toutes les questions. Si certaines réponses vous ont semblé nébuleuses, n'hésitez pas à revenir à la charge.

N'ayez pas peur des silences. On a tendance à les meubler rapidement, ce qui peut empêcher le candidat de pousser un peu plus loin sa réflexion et de répondre complètement à certaines questions ou de vous questionner sur l'emploi ou sur l'entreprise.

Les questions des candidats vous donneront également beaucoup d'indices sur leurs connaissances réelles des tâches à accomplir.

Évitez autant que possible les questions personnelles. Si vous savez que les heures de travail sont longues, vous serez peut-être tenté de demander au candidat s'il a de jeunes enfants. Même dans un tel cas, faites-lui part des conditions de l'emploi, mais n'enquêtez pas sur sa vie privée.

Terminez l'entretien en lui demandant s'il a d'autres questions et s'il sait tout ce qu'il voulait savoir. Précisez-lui ensuite ce qui arrivera. Fixez une date pour la réponse, ne laissez pas vos candidats dans le vague. Soyez aussi précis que possible. Vous avez certainement déjà été à la recherche d'un emploi et vous savez comme l'attente peut paraître longue !

Après le départ de chacun des candidats, revoyez immédiatement vos notes (si vous en avez pris pendant l'entrevue, ce que vous devriez avoir fait) et indiquez par écrit votre impression générale ou certains points particuliers.

OBSERVATION 5

À propos des gens heureux et des gens moroses.

Vous êtes à la recherche d'employés qui seront de bonne humeur, qui auront de l'enthousiasme, de l'entrain, le goût du risque, du plaisir à relever des défis... Ne cherchez pas des gens que vous devrez satisfaire et rendre heureux. S'ils ne le sont pas déjà – avant de travailler pour votre entreprise –, ils ne le deviendront pas même si vous leur présentez un contrat en or. Même si les gens enthousiastes peuvent avoir des baisses d'énergie, vous n'en ferez pas des gens moroses. De la même façon, les gens moroses peuvent vivre des instants d'enthousiasme, mais vous n'en ferez pas des optimistes.

Toute vie comporte son lot de difficultés : certains êtres ont moins de chance que d'autres, mais, grosso modo, chacun est et reste celui qu'il est naturellement.

Si, lors d'une entrevue d'embauche, vous vous rendez compte que votre candidat a toujours eu de la difficulté dans ses emplois précédents, vous pouvez parier qu'il en aura aussi chez vous.

On n'en sort pas : certaines personnes sont plus amicales, plus extraverties, plus joyeuses que d'autres. Il est toutefois possible que vous soyez d'abord et avant tout à la recherche d'une personne stable, disciplinée, et en effet, quelqu'un au caractère introverti, un peu morose, se révélera peut-être très efficace dans certains types d'emploi.

Ce qu'il vous faut garder en tête, c'est que la nature des gens ne change pas : celui qui avait besoin de défis l'an dernier en aura presque assurément besoin l'an prochain. Celui qui a toujours eu des contacts chaleureux avec ses pairs en aura encore dans le futur. Celui qui est du type introverti et responsable le restera.

Un manager peut s'imaginer qu'il faut à tout prix créer une « job motivante », donner des bénéfices, améliorer les tâches... (et bien sûr, il n'est pas mauvais de le faire pour motiver les employés), mais c'est dans la nature de chacun que se trouve la base de la satisfaction et de la bonne humeur.

Autrement dit, si vous êtes à la recherche de gens enthousiastes, ne remuez pas ciel et terre pour rendre la description de tâches enthousiasmante ; partez plutôt à la recherche de gens ayant un caractère enthousiaste. Même chose pour la stabilité. Il s'agit de trouver la perle rare pour un emploi d'un certain type. Chacun a des talents particuliers.

OBSERVATION 6

Les bons citoyens font généralement les bons employés.

Inutile de se questionner longtemps là-dessus : il est clair que les citoyens responsables font généralement de bons employés, de la même manière qu'ils feraient de bons patrons. Ce qu'on fait, on le fait ou bien ou mal ; notre manière de travailler reste sensiblement la même d'une tâche à l'autre, et que ce soit en tant que citoyen ou en tant que travailleur, notre attitude reste la même.

Vous trouverez chez un bon citoyen un être capable de participer et d'aider les autres, ce qui est toujours utile quand on travaille à plusieurs. Vous trouverez également chez un bon citoyen un être soucieux du bien d'autrui et respectueux des règles.

Si vous êtes à la recherche d'un employé modèle, essayez de voir si votre candidat est du type bon citoyen. Il aura une meilleure performance et constituera un élément positif de votre organisation.

OBSERVATION 7

Ne croyez pas que l'intelligence puisse être nuisible.

Si vous êtes à la recherche d'employés performants, sachez que l'intelligence est un bon indicateur de performance. Si le travail est répétitif, il faut toutefois que vous fassiez attention de ne pas embaucher quelqu'un qui ne peut rester en place longtemps et qui a de l'imagination à revendre. De même, une personne qui apprécie un environnement sécurisant et confortable ne sera pas à l'aise sur la route, dans des conditions précaires ou difficiles.

Cela dit, n'ayez pas peur de l'intelligence ; elle ne peut que rendre votre entreprise plus performante. Même pour un travail qui ne demande pas de grandes qualités d'intelligence, vous aurez avantage à embaucher des gens curieux intellectuellement ; ils sauront améliorer la qualité du travail effectué.

OBSERVATION 8

Les références valent ce qu'elles valent.

Vous avez retenu une candidature. Vous en êtes maintenant au stade de la vérification des références. Bien sûr, à l'autre bout du fil, on vous dit : « Cette personne est parfaite. »

Les références peuvent être de deux ordres : soit personnelles, et dans ce cas vous pouvez être assuré qu'elles seront positives, soit de travail, et alors il arrivera souvent qu'on ne vous dise pas les faits tels qu'ils sont. En fait, les ex-employeurs ne veulent pas être dérangés longtemps et vous répondront généralement : « Oui, cette personne a travaillé ici à tel titre, de telle date à telle date. » Enfin, soyez assuré que le candidat vous a donné les références qui font son affaire.

Autrement dit, ne vous imaginez pas que les références sont d'une très grande fiabilité et prenez-les pour ce qu'elles valent. Vérifiez à la lettre les diplômes, les dates d'emploi, les dossiers criminels (si cela compte pour le futur emploi) ; cela vous donnera déjà une bonne idée de l'intégrité de cet employé éventuel.

Rappelez-vous aussi que votre candidat peut avoir eu affaire à une organisation difficile, à des collègues ou à des patrons difficiles ; dans ce cas, ces références pourraient se révéler faussées et jouer contre lui. Autrement dit, il vaut mieux que vous vous fassiez une idée vous-même, avec le temps !

OBSERVATION 9

Chacun sa personnalité.

Selon certaines études, il y aurait chez toute personne, sur le plan de la personnalité, quatre dimensions de base. Observez les traits suivants chez vos candidats et considérez leur utilité en fonction de l'emploi à combler.

- La personne est extravertie, c'est-à-dire ouverte et sociable, ou introvertie, c'est-à-dire réservée ou timide.

- La personne est agréable, c'est-à-dire coopérative, ou désagréable, c'est-à-dire antagoniste. Dans ce dernier cas, elle entrera facilement en conflit avec les gens, mais saura aussi défendre son point de vue.

- La personne est consciencieuse, c'est-à-dire responsable et organisée, ou irresponsable et désorganisée. Dans ce dernier cas, il peut s'agir de quelqu'un qui a par ailleurs une forte imagination et beaucoup d'idées.

- La personne est émotionnellement stable, c'est-à-dire confiante et assurée, ou instable, c'est-à-dire anxieuse ou susceptible de vivre de l'insécurité.

Plusieurs chercheurs ont tenté de faire le lien entre la performance au travail et ces « qualités ». Ils ont noté ceci :

- Le fait d'être extraverti est utile aux vendeurs et aux communicateurs ;

- Le fait d'avoir une personnalité agréable ou non n'est pas un indicateur de performance ;

- Le fait d'être consciencieux est de loin ce qui est le meilleur signe d'une bonne performance au travail. La personne consciencieuse est fiable, attentionnée, attentive, capable de planifier. Elle est organisée, travaillante et persévérante. Toutes ces qualités sont annonciatrices d'une performance maximale ;

- Le fait d'être stable ou non ne dit rien sur la qualité du travail, qui peut être excellente. Cependant, les gens au caractère instable ne conservent pas leur emploi très longtemps. Ils iront voir ailleurs. Cela dit, pour un contrat, ils peuvent donner une excellente performance.

OBSERVATION 10

Un bon emploi selon vous ne sera pas forcément un bon emploi selon moi.

Tous les goûts sont dans la nature ; certains privilégient la sécurité et la régularité, d'autres préfèrent les défis. Ce qui est important, c'est d'être à sa place. Lorsque vous êtes à la recherche d'un candidat, il vous sera utile de relire la description de tâches de celui que vous vous apprêtez à choisir de manière à vérifier qu'il possède bien la personnalité et les qualités nécessaires au travail proposé.

OBSERVATION 11

Tout le monde n'aime pas relever des défis.

On considère grosso modo que les employés qui veulent «grandir», se dépasser, relever des défis comptent pour 15 % de la population active. N'allez donc pas vous imaginer que tout le monde autour de vous souhaite apprendre, grandir, atteindre de grands objectifs.

Si vous êtes patron, vous aurez tendance à oublier ce fait, car les patrons aiment bien les défis. C'est d'ailleurs en partie pour cette raison qu'ils sont devenus patrons... mais tout le monde ne possède pas ce genre de qualité, et il vaut mieux ne pas l'oublier.

Ne déplorez pas non plus le fait que certaines personnes sont peu ambitieuses. Il faut de tout pour faire un monde, et les employés moins ambitieux, s'ils ne sont pas toujours assez fonceurs, ont toutefois le mérite d'être stables, ce qui est aussi très précieux pour une entreprise.

Vous avez donc intérêt à de ne pas créer uniquement des emplois à défis et à encourager la présence d'employés n'ayant pas tous les mêmes qualités.

OBSERVATION 12

L'efficacité d'un employé se mesure, entre autres choses, à son adaptation à la culture de l'entreprise.

Il existe deux types d'entreprise. Certaines valorisent les risques, la créativité, le sens du défi, tandis que d'autres valorisent la loyauté, l'esprit de famille, la confiance. Selon le type d'organisation que vous menez ou dont vous faites partie, vous ne recruterez pas les mêmes personnes.

Quand un employé s'insère bien dans l'entreprise, il est perçu comme efficace. Lorsque vient le temps de choisir un candidat, vous devez donc évaluer de quelle manière la personne pourra s'intégrer à votre groupe. Il est important, pour cela, de 1) garder en tête ce que votre entreprise valorise et 2) de choisir un candidat qui correspond à ce type d'entreprise.

À cet égard, demandez-vous quelle est la propension de votre candidat:

- à prendre des risques, à innover ou à être stable;
- à évaluer l'ensemble d'une situation ou à s'intéresser aux détails;
- à jauger les moyens d'atteindre des objectifs ou les objectifs eux-mêmes;
- à travailler en équipe ou en solitaire;
- à être compétitif ou coopératif;
- à évoluer rapidement ou à apprendre lentement.

Et souvenez-vous que si votre candidat ne s'intègre pas bien à l'esprit de l'organisation, cela le rendra malheureux et affectera ses collègues.

OBSERVATION 13

Recherchez celui dont la personnalité et le travail s'harmonisent.

On dit qu'il existe six types principaux de personnalité:

- Le réaliste, celui qui ne s'illusionne pas, qui peut parfois manquer d'imagination mais qui donnera toujours l'heure juste.

- Le chercheur, qui est curieux, qui a besoin d'apprendre et de se renseigner. Il est souvent du type solitaire et il est à sa place en période de développement. Il ne se contente pas des réponses toutes faites.

- L'artiste, celui qui brille par son intelligence et sa capacité d'invention. Il sera peu à l'aise dans un emploi conventionnel et aura besoin de créer, de s'exprimer dans son travail.

- Le social, celui qui se préoccupe de la vie en société, que ce soit la sienne ou celle des autres. Il est à l'aise dans les situations où il peut aider, servir, donner.

- Le conventionnel, celui qui aime passer par les chemins balisés. Il est stable et n'aime pas être bousculé. Il est souvent loyal et privilégie les valeurs traditionnelles.

- L'entrepreneur, celui qui a le vent dans les voiles tout en gardant les pieds sur terre. Il est à sa place dans les emplois saisonniers et dans les entreprises en plein développement. Il ose, il agit et ne s'en fait pas pour des riens. Il privilégie les valeurs matérielles.

Vous noterez que l'on a généralement une personnalité principale, mais que les personnalités voisines nous toucheront également : ainsi, une personne du type entrepreneur possède beaucoup de réalisme et souvent aussi le sens des conventions et un esprit traditionnel.

Si les tâches qu'on confie à quelqu'un correspondent à son caractère, il sera heureux dans l'entreprise et vous aussi. Si, au contraire, le travail ne concorde pas avec son caractère, il y aura perte de temps, et pour lui et pour l'organisation.

OBSERVATION 14

Les expériences de travail ne sont pas toutes transférables.

Vous êtes en période d'embauche et plusieurs candidats se présentent. Vous n'hésitez pas un instant et choisissez la personne la plus expérimentée. Il se peut pourtant que ce soit une erreur. En tenant pour acquis que l'expérience dans un secteur précis est votre outil le plus sûr, vous pourriez en effet faire un mauvais pas.

On peut avoir été un bon chef dans un contexte donné sans que cette expérience soit nécessairement transférable. Le transfert des connaissances n'est pas toujours aussi évident qu'on voudrait le croire. Chaque emploi est unique et offre des défis qui lui sont propres. Évidemment, si vous pensez recruter un médecin ou un plombier, leurs connaissances seront nécessairement transférables, mais si vous êtes à la recherche d'une personne dont la définition de tâches est le moindrement unique (et c'est le cas, si on y songe bien, pour la plupart des emplois), vous pourrez difficilement vous baser seulement sur l'expérience acquise. Si vous le faites, vous risquez de passer à côté d'autres gens qui répondraient très bien à vos attentes.

Si vous en savez relativement peu sur le secteur pour lequel vous êtes à la recherche d'un employé, vous pourrez difficilement vérifier si ses connaissances sont réelles et transférables.

De plus, plusieurs types d'emploi requièrent des connaissances spécifiques, qui ne seront pas requises pour un autre emploi. Chaque entreprise possède ses propres savoirs.

Pour savoir s'il aura du succès dans son emploi, il est aussi important, sinon plus, d'évaluer si votre candidat saura s'intégrer à votre entreprise, à sa culture, à ses équipes de travail et à ses manières de faire, que d'être sûr de ses connaissances. Évidemment, si vous avez besoin d'un traducteur, vous devrez vous assurer de ses connaissances à cet égard. Mais la traduction couvre un large champ de connaissances, et il faudra alors voir si vos attentes spécifiques pourront être satisfaites.

OBSERVATION 15

Ne croyez pas que les capacités d'une personne se fondent toujours sur une longue expérience.

En période de recrutement, on peut avoir tendance à croire que la période de temps passée à effectuer une tâche est garante de la connaissance et de l'efficacité du candidat. Bien sûr, si quelqu'un a fait le même travail durant sept ans, vous pourrez vous dire que cette personne est stable. Mais gardez tout de même en tête qu'au bout de trois ans en moyenne, elle avait acquis toutes les connaissances nécessaires pour l'accomplir adéquatement. Ainsi, on considère généralement qu'il faut trois ans à un professeur pour que son cours soit au point. À la quatrième année, il commencera à répéter ce qu'il a dit en troisième année.

Pour savoir si vous avez trouvé la perle rare, prêtez davantage attention à la variété des expériences d'une personne. Ne mettez pas trop d'emphase sur l'expérience quand vous êtes à la recherche d'un type leader. Voyez simplement si l'expérience acquise est transférable.

Motivez vos employés

Même si un employé a de multiples talents et connaissances, il vous faut savoir de quelle manière vous pourrez le motiver. À la base de tout bon travail, il y a une passion ou un intérêt soutenu.

OBSERVATION 16

Prévoyez du temps pour l'intégration des nouveaux employés.

Les entreprises qui prennent le temps qu'il faut pour bien intégrer leurs nouveaux venus sont le plus souvent récompensées. Il existe en fait deux types d'intégration : formelle et informelle.

Dans le cas de l'intégration formelle, on offrira par exemple un programme d'entraînement, des cours, une formation en bonne et due forme. Dans celui de l'intégration informelle, on organisera une rencontre entre les employés en place et la nouvelle recrue. À la limite de l'intégration informelle, on ne fera rien sauf constater si le nouveau venu se débrouille.

Pensez bien à la question de l'intégration de votre employé, car elle est importante. En effet, mieux vous accueillerez celui-ci et l'entraînerez au départ, plus vous y mettrez du temps, meilleurs seront ses outils, ses capacités et ses connaissances et donc, aussi, sa motivation et sa loyauté.

Cela vous prendra peut-être un peu plus de temps au début, mais ce sera payant à la longue.

Un autre aspect de l'intégration de votre recrue est à prendre en considération : comptez-vous intégrer les qualités du nouvel arrivant, les mettre en valeur, les exploiter, ou comptez-vous plutôt absorber cette personne dans un groupe et donc minimiser ses qualités individuelles ?

En général, s'il s'agit d'une personnalité conformiste, vous aurez plus de succès en l'intégrant de manière formelle et en lui faisant suivre des programmes spécifiques. Les personnes de type conformiste s'intègrent habituellement bien également dans les emplois qui requièrent le sens de la collectivité.

À l'inverse, les personnalités inventives et créatives sont souvent plus individualistes. De telles recrues pourront facilement s'intégrer de manière informelle. Elles seront également plus à l'aise dans un environnement qui mettra en valeur leurs qualités spécifiques.

OBSERVATION 17

Mettez la faute là où elle est.

Si votre employé n'est pas motivé, ne cherchez pas à mettre la faute sur son compte ; observez plutôt la manière d'agir de votre organisation et posez-vous les questions suivantes :

- La sélection a-t-elle été bien faite ?
- Les objectifs de votre entreprise sont-ils ambigus ?
- Le système de performance est-il défaillant ?
- Le système de récompense est-il défaillant ?
- La direction est-elle mauvaise ?

Une sélection bien faite, c'est une sélection qui fait qu'un employé est à sa place. Par exemple, si je suis incapable de rester en place, si j'aime voir du monde et si j'ai de l'imagination à revendre, il vaut mieux qu'on ne me donne pas un emploi de téléphoniste dans une entreprise... Je serai mal à l'aise et ma motivation tombera rapidement.

Si les objectifs de l'entreprise ou les objectifs de l'emploi sont mal définis, cela fera rapidement perdre tout intérêt à l'employé. S'il ne sait pas où il va, comment pourrait-il être satisfait de ce qu'il fait ?

L'employé croit-il que s'il fait des efforts maximums, ce sera reconnu par l'entreprise ? Si la réponse est non, vous pouvez être sûr que tôt ou tard sa motivation s'en trouvera affectée.

Les connaissances de l'employé sont-elles suffisantes ? Sinon, même s'il essaie, même s'il fournit l'effort maximum, les risques sont élevés qu'il ne réussisse pas. Et c'est peu motivant pour lui, vous en conviendrez.

On peut aussi perdre sa motivation si ce qui est valorisé par l'entreprise n'est pas lié à notre performance. Si, par exemple, on ne reconnaît que la gentillesse ou la politesse d'un employé, ce sera insuffisant. Tout le monde a besoin de se dépasser, de donner une part de soi-même.

Un employé qui ne se sent pas apprécié de la direction perdra aussi très rapidement toute motivation. Il faut donc considérer cet aspect.

Si votre employé obtient un succès, aura-t-il une récompense ? Un employé non récompensé est un employé en voie de perdre sa motivation. Une récompense pourra être une augmentation de salaire, une promotion, un signe de reconnaissance...

OBSERVATION 18

De la nécessité de reconnaître le travail bien fait.

Pour témoigner votre reconnaissance à un employé, vous pouvez :

- lui confier un nouveau projet ou une activité dont il n'a pas l'habitude. Vous lui montrez ainsi que vous le respectez, que vous croyez en ses capacités. Vous élargissez son savoir. Veillez toutefois à ne pas vous imaginer que vous récompensez un employé en lui confiant trop de tâches !

- lui exprimer publiquement votre contentement. Tout le monde aime les compliments. Cela fait du bien. Et c'est plus rare qu'on veut bien le croire ;

- lui donner du lest, de l'indépendance. Ce sera très apprécié de certaines personnes ;

- lui offrir des horaires flexibles, un congé, une augmentation...

Attention, cependant : si vous donnez une augmentation de salaire à un employé et qu'il aurait préféré avoir une promotion (ou peut-être les deux), vous courez le risque de le démotiver. Il est important que l'employé reçoive une récompense qu'il souhaitait obtenir. Il peut, par exemple, vouloir une augmentation, une promotion, de nouveaux défis, des compliments, un transfert, un horaire flexible... Il faut, dans la mesure du possible, ajuster les récompenses aux besoins et à la volonté de l'employé.

Un employé sera démotivé :

- s'il n'a pas un grand effort à fournir pour atteindre la performance souhaitée ;

- s'il n'a pas besoin d'atteindre un seuil élevé de performance pour obtenir la récompense ;

- si la récompense reçue est en deçà de la récompense espérée.

OBSERVATION 19

Vous gagnerez toujours à avoir des employés compétents.

Plus vos employés en savent, plus ils seront capables de travailler adéquatement. Vous avez donc avantage à vous préoccuper de leur compétence et de leurs apprentissages. Un employé qui apprend est un employé motivé. Avec lui, vous pourrez atteindre vos objectifs. Il existe des moyens simples d'agir en ce sens.

- Rencontrez régulièrement vos employés sur une base individuelle. Dans les cas où vous savez que des connaissances supplémentaires pourraient les aider dans leurs tâches et leur donner l'occasion d'approfondir leurs connaissances, offrez-leur des formations. Évidemment, il ne s'agit pas ici d'obliger quelqu'un à suivre une formation, mais d'agir de manière concertée.

- Décelez les points forts et les points faibles de vos employés au sein de l'entreprise. Y a-t-il moyen de travailler les points faibles ? De quelle manière ? Par un cours ? Par l'aide d'un autre employé ? Par votre assistance ? Penchez-vous sur la question.

Pour ce qui est des points forts, n'oubliez pas de les reconnaître et de féliciter vos employés.

- Évaluez les performances, les compétences et le potentiel de chacun. Les performances, ce sont les résultats, ce qui est tangible. Les compétences, ce sont les qualités de votre employé. Si vous ne l'avez pas encouragé à développer son potentiel jusqu'à présent, veillez à corriger la situation.

- Une fois ces différents aspects clairement définis, établissez, toujours de concert avec l'employé, des ressources qui lui permettront d'actualiser son potentiel. N'oubliez pas de récompenser un travail bien fait.

Confiez à vos employés des tâches qui leur donneront l'occasion d'en apprendre un peu plus. Tant qu'on apprend, on ne perd pas intérêt à ce que l'on fait. Demandez-leur de s'occuper de tâches qui leur donneront l'occasion de se dépasser.

OBSERVATION 20

Les hommes et les femmes sont différemment motivés.

En général, on peut dire que les hommes mettent l'emphase sur le statut tandis que les femmes privilégient la création des liens et la communication.

La femme parle pour dire ce qu'elle ressent, l'homme, pour trouver des solutions. Bien sûr, il ne faut pas ici tomber dans le piège du simplisme. Mais s'il y a conflit, n'oubliez pas de considérer les choses en tenant compte de cet aspect.

OBSERVATION 21

Le bonheur n'est pas nécessairement productif.

On croit généralement, et cela semble tomber sous le sens, qu'un employé satisfait (et donc heureux) sera un employé productif. Or, le lien n'est pas aussi évident qu'il y paraît. Plusieurs entreprises et gérants s'organisent pour permettre à leurs employés de bénéficier d'horaires flexibles, de services de garde, de plans de retraite, etc., croyant ainsi assurer la productivité de leur personnel. Or, même si ces bénéfices sont très utiles pour tenter de conserver ce dernier, il ne faut pas croire que cela soit si déterminant. En fait, ce qui apporte la satisfaction à un employé (tout autant qu'à un patron, d'ailleurs), c'est d'abord sa productivité. Donc, ce n'est pas la satisfaction qui rend productif, mais la productivité qui apporte la satisfaction.

Cela dit, il ne s'agit pas toujours du même type de satisfaction. La productivité assure la satisfaction du travail bien fait, mais elle ne satisfait pas toujours les besoins des employés ; il faudra donc également récompenser ceux-ci, leur apporter une assistance sur d'autres plans.

En conclusion, avant de vous concentrer sur la façon de faire en sorte que vos employés soient satisfaits, penchez-vous sur la façon de les rendre productifs. Pour cela, engagez des dépenses pour un entraînement, pour une formation, pour l'organisation du travail, et veillez ensuite à satisfaire les autres besoins.

OBSERVATION 22

Les employés de différentes générations n'ont pas les mêmes priorités.

Les valeurs des gens diffèrent selon plusieurs données, mais le facteur générationnel reste de première importance en ce qui touche le travail.

Les gens reproduisent généralement les valeurs sociales de leur époque. Ceux qui faisaient partie de la génération des années 1930 et 1940 se démarquaient par un fort sens des responsabilités, la génération des baby-boomers est restée très responsable en ce qui concerne le travail, tandis que la génération X, ceux qui sont nés dans les années

1960 et 1970, se révèlent préoccupés tant par leur vie personnelle que par leur travail. Ils ne mettront pas tous leurs œufs dans le même panier.

Nul besoin ici de faire une analyse sociologique ; il suffit de ne pas s'attendre exactement aux mêmes réactions et aux mêmes comportements de la part de gens de différentes générations et de tenir compte du fait que leurs valeurs diffèrent quelque peu.

OBSERVATION 23

Soyez précis lorsque vous souhaitez motiver un employé.

Suggérer à un employé de faire de son mieux est insuffisant et peu motivant pour lui. Plutôt que de rester vague et de simplement inciter ses employés à s'appliquer, fixez des objectifs, offrez des défis spécifiques ; vous les aiderez ainsi à augmenter leur performance.

Plus le but est difficile à atteindre (sans être impossible, évidemment), plus cela risque de les stimuler et donc d'augmenter leur performance.

Il est important aussi de leur donner du *feed-back* sur leur travail, c'est-à-dire de revenir sur ce qui a été fait. Plus on cerne rapidement ce qui ne va pas, mieux on s'en sort, plus on est satisfait et productif. Lorsqu'un employé est très autonome, il revient lui-même sur ce qu'il a fait, ce qui lui procure un sentiment de réalisation. Cela est évidemment valable dans une culture de compétition et de productivité.

OBSERVATION 24

Quelques moyens de motiver vos employés.

Les horaires flexibles sont un moyen simple de motiver les employés. En leur permettant d'organiser agréablement et leur vie personnelle et leur vie de travail, vous leur donnez un outil appréciable.

Une participation financière dans l'entreprise, par exemple, le fait de leur offrir des actions peut aussi engendrer un sentiment d'appartenance et une meilleure productivité.

Rares sont les gens qui aiment s'ennuyer. En donnant plus de responsabilités à un employé, vous augmenterez également sa motivation.

En outre, plus la tâche que vous demandez à un employé est un tout en soi, meilleures sont vos chances qu'il soit stimulé. Ne faire qu'une partie d'une tâche peut être démotivant à la longue. Si c'est inévitable, il est nettement mieux que le travail complet soit reconnu : telle équipe aura fait tel travail ou terminé tel projet. Ayez aussi en tête de faire émerger le talent et les qualités de vos employés. En formant un tout, on donne un sens aux actions accomplies. Et quand on trouve un sens à son travail, on développe du même coup un sens de l'appartenance à l'entreprise.

OBSERVATION 25

À propos des changements dans la manière de gérer.

Le management par projet est de plus en plus pratiqué dans les entreprises et même dans les organisations gouvernementales. Mais se convertir à un tel mode de management représente souvent une véritable révolution pour l'entreprise. L'organisation est chamboulée, on met fin aux relations hiérarchiques classiques... Pour mettre toutes les chances de son côté, il est nécessaire de ne pas brûler certaines étapes cruciales. Réfléchissez à l'organisation à mettre en place et assurez-vous d'avoir l'accord de chacun sur cette forme de gestion en expliquant clairement, même si c'est long, de quoi il s'agit.

Vous devrez aussi trouver les chefs de projet idéaux, à moins de jouer ce rôle vous-même. Pour être un bon chef de projet, il faut savoir diriger, soutenir et mobiliser les troupes.

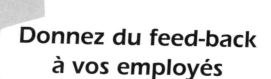

Donnez du feed-back
à vos employés

Tout le monde a le droit d'avoir l'heure juste ; plus souvent vous la donnerez à ceux qui travaillent avec ou pour vous, moins d'histoires ils feront si les résultats ne sont pas satisfaisants. De plus, en revenant fréquemment sur le travail accompli, vous pourrez plus facilement corriger au fur et à mesure ce qui doit l'être.

OBSERVATION 26

Faites du feed-back une habitude.

Le fait de donner aux employés du *feed-back* sur ce qui a été fait devrait devenir une habitude dans votre entreprise. Chacun d'entre nous, employé ou patron, a besoin de savoir périodiquement de quelle manière son travail est perçu. Évidemment, un mauvais rapport d'activités fait rarement plaisir. Mais cela vaut mieux qu'un silence qui ne permet pas de corriger les situations difficiles. En usant de diplomatie, vous pouvez faire passer bien des messages, même ceux qui semblent difficiles.

OBSERVATION 27

Disciplinez vos employés.

Discipliner ses employés consiste à leur donner le goût du travail bien fait. Chacun acquiert ce goût du travail s'il effectue des tâches à sa mesure, c'est-à-dire ni trop faciles ni trop ardues. Celui qui fait face à ses incapacités se décourage, il n'y a rien de plus normal.

En donnant ou en définissant, de concert avec vos employés, des objectifs à atteindre, vous vous donnez plus de chances de faire prospérer votre entreprise.

Si vous devez sanctionner un comportement, faites-le rapidement après l'erreur ou le manquement. Autrement, votre sanction n'aura aucune valeur. Faites aussi attention de ne pas encourager des comportements peu souhaitables. Plus souvent qu'on ne le croit, on le fait en donnant l'exemple ou en prononçant des paroles peu appropriées. N'espérez pas non plus qu'un comportement inadéquat ou un mauvais rendement puisse changer comme par magie. Vous devrez nécessairement intervenir.

Évaluez la performance de vos employés et non leur personnalité. Vous n'êtes pas psychologue, vous êtes patron. Mais que cela n'exclue pas la compassion pour celui qui bénéficiera de votre soutien.

Soyez toujours clair en ce qui a trait aux objectifs de performance. Si vous êtes confus, vous sèmerez la confusion autour de vous.

Face à une erreur, à une mauvaise performance ou à un comportement inadéquat, dans un premier temps, dites-le de vive voix à la personne concernée, en face à face et non devant les autres. Surtout, restez respectueux. Dans un deuxième temps, vous pouvez faire passer votre message par écrit, toujours respectueusement. Écoutez aussi ce que l'on vous répondra; il peut y avoir de bonnes raisons à une mauvaise performance.

Lorsque vous suggérez des corrections à un employé :

- Décrivez l'action qui selon vous n'est pas adéquate. Ne dites pas : « Vous êtes mauvais »; prenez plutôt le temps d'expliquer ce qui fait défaut. En étant précis par rapport au problème, vous n'aurez pas tendance à attaquer la personne dans son intégrité ;

- N'attaquez pas la personne ; relevez plutôt un comportement. C'est une attitude ou une manière d'agir qui pose problème, et non l'être lui-même ;

- Parlez des répercussions sur l'entreprise et sur le service ;

- Dites exactement ce que vous attendez. Surtout, soyez précis et concis ;

- Dites ce qui s'ensuivra si les consignes ne sont pas suivies.

Procédez en faisant un plan d'amélioration.

- Précisez les objectifs à atteindre.

- Faites un calendrier, fixez des dates.

- Faites appel à des ressources, à une formation, à un mentor, à une surveillance.

- Revoyez régulièrement l'employé de manière à voir avec lui ce qui va et ce qui ne va pas.

OBSERVATION 28

Le feed-back doit renseigner sur un comportement et non sur la personne elle-même.

Quand vous donnez à un employé un *feed-back* négatif sur ce qu'il a fait, soyez attentif à ce qu'il n'ait pas l'impression que vous critiquez ce qu'il est en tant qu'être humain. Il doit comprendre que c'est plutôt un comportement, une action, une décision que vous remettez en question. Encore une fois, faites preuve de précision ; de cette façon, vous n'aurez pas tendance à attaquer la personne elle-même. Donnez un exemple précis, ne dites pas : « Tu n'es pas bon. » Décrivez les faits ou la situation. Évitez les jugements et les évaluations, surtout si votre *feed-back* n'est pas positif.

Le fait de signifier à quelqu'un que vous le jugez incompétent ne réussira qu'à le rendre contre-productif.

Il arrive aussi que le problème soit hors de contrôle de la personne en question. Par exemple, si elle est en retard parce qu'il y a eu un accident sur la route, il sera parfaitement inutile de passer un commentaire accusateur.

OBSERVATION 29

On discute difficilement des faiblesses d'un employé.

Les gens se perçoivent généralement de façon positive. On n'a pas tendance à se dénigrer soi-même et même si on se dénigre à l'occasion, en général, on se trouve bon ! Donc, si vous avez des critiques à faire à un employé, sachez les faire de manière à ce qu'elles soient constructives. Si vous connaissez la solution au problème, faites-en part à la personne ; sinon, encouragez-la à en trouver une. Ne faites pas non plus un événement d'un mauvais rapport. À cet égard, les *feed-back* faits régulièrement permettent de corriger les situations au fur et à mesure. Si ce mois-ci, j'ai un bon *feed-back* et que, le mois prochain, il est moins bon, je ne paniquerai pas, je changerai simplement ma manière de procéder.

OBSERVATION 30

Tout le monde veut des compliments.

Tout le monde aime être félicité, personne n'aime être blâmé. Seulement, voilà que l'employé que vous avez embauché il y a six mois arrive en retard régulièrement et que sa performance est plus que moyenne... Vous n'avez donc aucune raison de le louanger. Avant de lui adresser tout blâme ou tout reproche, prenez le temps de voir si ce qui se produit provient d'un comportement de votre employé ou de circonstances qui sont hors de son contrôle. On ne doit pas blâmer quelqu'un pour des causes extérieures à lui.

Qu'ils soient patrons ou employés, les gens attribuent généralement leurs succès à des facteurs reliés à eux (par exemple, ils ont fait ce qu'il fallait faire au bon moment) et leurs échecs à des facteurs extérieurs à eux. Même les gens les plus performants auront cette tendance.

OBSERVATION 31

Quand vous donnez du feed-back à un employé, faites le tour du jardin.

On peut avoir tendance à ne se préoccuper que de tel ou tel aspect et à ignorer certains faits qui sont aussi importants mais moins problématiques. Si vous prenez l'habitude de donner du *feed-back* à vos employés, prenez soin de définir les différents aspects des tâches qu'ils sont appelés à effectuer. Par exemple, demandez-vous comment cela va avec les clients, avec les pairs, avec les patrons et avec les subalternes. Le développement se fait peut-être bien, mais les tâches cléricales laissent-t-elles à désirer? En traçant une grille comprenant les différents aspects d'un emploi, vous éviterez de laisser tomber des points importants de la définition de tâches. Autrement, vous risquez de vous attarder aux aspects problématiques et d'ignorer ce qui va bien.

OBSERVATION 32
Déléguez.

Les grands projets sont réalisables pour peu qu'on partage entre un certain nombre de personnes les tâches à accomplir. Pour toute tâche à accomplir, demandez-vous:

- Qui peut le faire?

- Qui peut le mieux le faire?

N'hésitez pas à prendre le temps d'enseigner un savoir ou de former vos employés pour de nouvelles tâches. Cela vous semblera plus long au départ mais se révélera très utile à long terme.

OBSERVATION 33

N'exigez pas la perfection.

La perfection est l'ennemi du bien, c'est connu. Personne n'est sans faiblesse, sans défaut. Les causes d'une mauvaise qualité de travail ou d'une faible productivité proviennent souvent davantage du système de l'entreprise, de son fonctionnement, que de la main-d'œuvre.

Quand il y a un problème du côté des employés, ne vous contentez pas de tenter d'analyser leur comportement et de les corriger... Prenez le temps de voir ce qui est boiteux dans le fonctionnement même de l'entreprise.

OBSERVATION 34

Encouragez chacun de vos employés à être fier de lui.

En tant que manager, vous avez en quelque sorte le rôle de supprimer les obstacles qui pourraient affecter la fierté de vos employés.

Un employé fier est un employé motivé, intéressé, actif. Il ne critiquera pas la boîte, il marchera main dans la main avec vous. Enlevez-lui cette fierté et vous venez de perdre beaucoup. Chacun éprouve le besoin de se réaliser ; plus vous restez conscient des besoins de vos employés, meilleurs ils seront à la tâche. Pour ce faire, ne lésinez pas sur la formation et ne les privez pas des ressources adéquates nécessaires à leur travail.

On parle souvent, par les temps qui courent, de mentorat. Il s'agit de l'accompagnement d'une personne expérimentée auprès d'un employé qui débute. Si votre entreprise peut adopter ce type de développement, faites-le sans hésiter.

OBSERVATION 35

Dirigez ceux qui en ont besoin, épaulez les autres.

Certains employés aiment les directives précises, tandis que d'autres apprécient un soutien amical. En général, si on connaît bien son travail, des directives précises ne sont pas nécessaires et peuvent même déstabiliser ou démotiver un employé. Avec quelqu'un qui se débrouille bien, il vaut nettement mieux être encourageant que de donner des ordres. Cependant, celui qui a peu d'expérience dans son domaine appréciera un suivi plus serré et des directives précises.

Dans les cas de conflit dans un groupe, il est parfois plus simple de donner des directives précises. Autrement, le flou peut devenir source de désordre.

En fait, plusieurs facteurs peuvent influencer la manière dont on dirige les employés. Essentiellement, un patron se doit de compenser les qualités qui manquent à son employé. Dans une petite entreprise, ce sera valable et utile. Déterminez ce qui manque à un employé et palliez ce manque en lui trouvant assistance ou en lui fournissant des outils ou un enseignement adéquat.

OBSERVATION 36

Sur la reconnaissance envers vos employés.

Même si vous avez mis en place un système formel de récompenses pour le travail bien fait, n'hésitez pas à reconnaître verbalement ce qui est valable. Tous (employés et patrons), nous carburons aux compliments et au renforcement positif. Un comportement reconnu comme valable aura tendance à se répéter. Plus vous prenez le temps d'apprécier et de reconnaître le travail bien fait, plus votre employé aura tendance à répéter l'action. Certaines écoles de pensée stipulent même de simplement ignorer ce qui n'est pas valable.

OBSERVATION 37

Consacrez du temps à vos employés.

Plus vous prenez le temps de mesurer les besoins de vos employés, meilleures seront leurs performances.

Pour chacun, posez-vous les questions suivantes :

* A-t-il les ressources nécessaires pour accomplir ses tâches ?

- Est-il associé aux bonnes personnes dans l'organisation?

- Pourrait-il bénéficier de l'aide et de l'enseignement d'un mentor ou d'une personne plus expérimentée?

OBSERVATION 38

On obtient rien sans récompense.

Si vous avez éduqué des enfants, vous connaissez cette règle élémentaire et évidente : si vous récompensez une action, vous aurez plus de chance qu'elle se reproduise. On l'oublie trop souvent. Si on souhaite, par exemple, bâtir une équipe de travail forte mais qu'on continue à récompenser les accomplissements individuels, on n'ira pas dans le sens souhaité.

De la même manière, certains patrons parlent haut et fort d'honnêteté et d'intégrité, puis se dépêchent d'en faire le moins possible ou de donner une promotion à celui qui ne la mérite pas.

OBSERVATION 39

On obtient ce que l'on attend.

Les managers obtiennent de leurs employés les performances qu'ils en attendent. Celui qui se croit bon obtient de meilleurs résultats que celui qui ne croit pas en lui-même.

Si vous percevez un de vos employés comme un perdant, vous aurez un perdant ; si vous le percevez comme un gagnant, vous en ferez un gagnant. C'est aussi valable pour soi-même : quand on se perçoit comme un gagnant, on gagne ; autrement, on perd.

Pourquoi est-ce ainsi ? Celui en qui l'on croit reçoit plus de soutien (on lui sourit, on entre en contact avec lui, on lui donne du *feed-back*, on lui donne un entraînement, on lui explique...), et toutes ces attentions résultent en un meilleur accomplissement des tâches. La confiance se bâtit.

Attendez d'excellentes performances de vos employés ; encouragez-les verbalement et montrez-leur que vous croyez en eux, mais n'attendez pas d'eux ce qu'ils ne peuvent donner et ne leur demandez pas ce qu'ils ne sont pas en mesure d'offrir.

Si on demande à quelqu'un ce qu'il n'est pas en mesure d'offrir, on l'intimidera, on le démoralisera et il deviendra frustré, et nous de même.

OBSERVATION 40

Traitez équitablement vos employés tout en gardant en tête que tout est relatif.

Vous le voyez en observant les demandes salariales des sportifs professionnels : il n'y a pas de justice ou, à tout le moins, elle n'est pas la même pour tout le monde. Un joueur peut se sentir lésé même s'il gagne des millions de dollars. Il note en fait que, s'il se compare à tel joueur, il est insuffisamment payé.

C'est donc en se comparant aux autres qu'on sera content ou pas.

Les employés se comparent entre eux. À la base, tout employé considère son expérience, son éducation et ses compétences en comparaison de celles de ses collègues. S'il se sent maltraité, sa productivité s'en ressentira.

Toute personne se compare aussi à d'autres : amis, voisins, conjoint... Elle comparera aussi ses gains actuels à ceux que lui donnait son emploi précédent. On voit donc que c'est toujours en fonction d'une comparaison qu'un employé déterminera s'il reçoit suffisamment pour la tâche qu'il accomplit.

S'il se considère bien traité, cela aura un effet positif sur sa productivité et sa stabilité. S'il se considère injustement traité, il deviendra forcément agressif et voudra souvent rétablir une certaine justice en travaillant moins. On ne peut compter sur la loyauté de quelqu'un qu'on traite injustement.

S'il est sur-récompensé, s'il gagne trop pour ce qu'il donne, un sentiment de culpabilité s'installera et la productivité s'en trouvera affectée. Il s'agit donc de jouer assez finement pour que vos employés se sentent toujours respectés. N'oubliez pas qu'un employé respecté respectera les clients.

OBSERVATION 41

Sur la reconnaissance.

Nous carburons tous à la reconnaissance. Dites merci à quelqu'un et vous aurez déjà un fait un pas dans la bonne direction.

Dans le cadre d'une économie très compétitive comme la nôtre, qui tâche de diminuer les coûts de tout, nous sommes tous, employés, patrons ou petits entrepreneurs, sous pression.

Il existe quelques moyens de souligner un travail bien fait ; ne les ignorez pas. Par exemple, n'hésitez pas à adresser des félicitations personnelles à quelqu'un, à le faire devant les autres ou à lui envoyer des notes écrites à cet effet. Les cadeaux sont aussi très appréciés et ils n'ont pas besoin d'être d'un coût faramineux.

Licenciements et mises à pied

Ce n'est pas drôle du tout, mais vous y ferez pourtant face un jour ou l'autre. Une situation financière difficile ou un employé récalcitrant vous obligeront à agir.

OBSERVATION 42

Quand rien ne va plus avec un employé, questionnez-vous avant d'intervenir.

La plupart du temps, lorsqu'un employé bâcle ses tâches de travail, ce n'est pas par mauvaise volonté mais parce qu'il est incapable de faire mieux. À moins d'avoir affaire à des employés en grève ou qui souffrent d'épuisement professionnel – et dans ce cas, vous le saurez rapidement –, les gens essaient de bien faire. S'ils n'y arrivent pas, c'est qu'ils manquent de connaissances.

En premier lieu, observez ce qui se passe. Votre employé vit-il des tensions dans sa vie privée ou avec d'autres collègues ? Est-il aux prises avec un problème d'alcool ou de drogue ? Manque-t-il de la plus élémentaire discipline ?

Quand cet employé vous remet un travail ou termine un projet, devant quoi vous trouvez-vous ? Où sont ses faiblesses ? Sont-elles sur le plan de la forme ou du fond ? Discernez-vous un manque de connaissances ? Êtes-vous en mesure de former cette personne ?

Lors d'une rencontre avec l'employé, faites-lui part de vos observations et, de concert avec lui, proposez une action qui pourra corriger la situation. Il est possible qu'il n'ait pas compris qu'une tâche lui incombe ou qu'il ne sache tout simplement pas faire une partie de son travail.

Si vous connaissez les différentes étapes à franchir, accompagnez-le une fois ou deux. Enseignez-lui les tâches. Si ces connaissances ou le temps vous manquent, proposez-lui une formation ou l'aide d'un employé plus expérimenté. Votre rôle consiste ici à aider votre employé à découvrir ce qu'il a probablement lui-même de la difficulté à définir, et à lui fournir les ressources nécessaires à cet apprentissage. N'oubliez pas que 90 % des apprentissages se font sur le terrain et que l'accompagnement d'une personne expérimentée peut être la solution idéale.

OBSERVATION 43

Un licenciement n'est jamais chose facile.

Lorsque vous devez effectuer un licenciement, expliquez clairement les motifs en cause et préservez toujours la dignité de l'employé. Ayez de l'empathie, mais employez un ton neutre et ferme. Gardez le contrôle de vous-même ; ne devenez pas émotif même si la personne s'énerve.

On suggère généralement d'effectuer un licenciement le vendredi, en fin de journée. La personne qui perd son emploi se trouvera moins en peine s'il a lieu en fin de semaine qu'au début de la semaine.

OBSERVATION 44

Les mises à pied ne sont pas difficiles seulement pour ceux qui partent.

Si vous êtes acculé à faire des mises à pied dans votre entreprise, il est important de garder en mémoire que si c'est très triste pour ceux qui partent, c'est aussi démotivant et insécurisant pour ceux qui restent.

Les employés qui restent vivent souvent des sentiments d'injustice, d'insécurité, voire de dépression. Ils peuvent aussi vivre plus de stress et ressentir une perte de loyauté ou de confiance envers l'entreprise ou envers le patron. Les employés qui restent peuvent craindre de prendre des risques et avoir le sentiment d'une perte de pouvoir.

On suggère de faire les changements clairement et rapidement. Donnez beaucoup d'informations à vos employés ; ainsi, ils se sentiront concernés et pourront comprendre les motifs de ces décisions. Plus vous donnez d'informations à ceux qui partent comme à ceux qui restent, plus vous êtes authentique, moins difficiles seront les changements. Sachez aussi attendre le temps qu'il faut pour que les changements soient acceptés.

Veillez à ce que les employés qui restent puissent dire ce qu'ils ressentent. Plus ils s'exprimeront clairement et entièrement sur ce qu'ils vivent, plus rapide sera la remise en route.

Travaillez efficacement en équipe

L'union fait la force, et on travaille de plus en plus en équipe ou par projets. Voici quelques observations sur la manière de rentabiliser vos efforts.

OBSERVATION 45

En équipe, on a un plus grand pouvoir.

Même si en équipe, on perd un peu d'énergie à faire fonctionner le groupe et à traîner ceux qui travaillent un peu moins, il reste avantageux de s'unir à d'autres si l'on veut mener à terme un grand projet. En unissant des gens ayant des forces et des connaissances différentes, vous pourrez faire évoluer les choses plus rapidement qu'en les isolant. Mais pour quelles raisons précisément les équipes ont-elles bonne réputation?

Parce que le travail en équipe favorise la co-opération et diminue la compétition. Les gens se respectent davantage, ils ne sont pas en guerre les uns contre les autres. Si l'un évolue, tous en bé-néficient. L'union fait la force, c'est bien connu, mais l'adage n'est pas toujours appliqué. Les communi-cations peuvent également se révéler plus simples et plus directes dans les cas où les gens travaillent en équipe ou en comité. Dans une situation de co-opération, chacun partage ses connaissances et tous avancent plus vite. Les objectifs se matérialisent plus facilement, car certaines personnes du groupe sont là pour rappeler les autres à l'ordre si nécessaire.

Cela dit, veillez à créer des équipes aussi au-tonomes que possible, sans quoi vous réaliserez rapi-dement une perte de motivation chez vos employés. Respectez leur besoin de liberté, et vous verrez des gens stimulés, actifs. Obligez-les à respecter des règles qu'ils n'auront pas établies eux-mêmes et vous les démotiverez. En privilégiant le travail d'équipe, il va de soi que vous devez également permettre l'autonomie du groupe.

OBSERVATION 46

Qu'est-ce qui fait fonctionner les équipes?

Toute équipe fonctionne mieux quand chaque membre :

- est libre et autonome ;
- peut utiliser ses talents et ses connaissances ;

- complète certaines tâches plutôt que d'assumer simplement des parties d'entre elles, car son travail peut ainsi être reconnu ;

- a le sentiment de contribuer à un projet qui a un impact.

Pour former une équipe, vous aurez besoin de gens qui possèdent trois types de talents (ou de connaissances ou de capacités).

- Recherchez des gens ayant une ou plusieurs expertises techniques.

- Recherchez des gens ayant les connaissances requises pour résoudre les problèmes éventuels et capables de prendre des décisions. Ils pourront déterminer les problèmes, puis faire des choix.

- Enfin, recherchez des gens qui savent écouter et donner du *feed-back* sur le déroulement du projet.

Sans ces trois types de talents, votre équipe sera boiteuse.

On peut être introverti, timide, instable et très bien travailler en solitaire. Cela dit, pour travailler adéquatement en équipe, vous aurez avantage à vous entourer de gens du type extraverti, agréable, consciencieux et stable. Des gens flexibles, qui s'adaptent facilement et aiment apprendre apporteront beaucoup d'efficacité à votre équipe.

Une équipe trop petite (de quatre personnes ou moins) manquera de diversité, tandis qu'une équipe trop grande (de plus de dix personnes) pourra avoir de la difficulté à fonctionner. Dans le cas d'une équipe de plus de dix personnes, vous aurez avantage à diviser le groupe en deux pour trouver un équilibre satisfaisant.

N'oubliez pas que certaines personnes préféreront toujours travailler seules et qu'elles seront plus efficaces si l'on respecte leurs capacités et leurs préférences.

Pour être efficace, une équipe doit posséder les ressources adéquates. Les ressources, ce sont l'équipement, une assistance administrative et des possibilités de formation.

Par ailleurs, pour bâtir une équipe de travail efficace, assurez-vous que les objectifs soient connus de chacun et partagés par tous. Précisez bien les buts à atteindre. Prenez soin d'avoir des buts réalisables et accessibles ; il est démotivant de viser trop haut.

Sachez également que les conflits, même s'ils sont parfois pénibles à vivre, ne sont pas nécessairement mauvais. Il vaut mieux un groupe à conflits qu'un groupe apathique, qui n'avance pas. En outre, les conflits peuvent avoir pour résultats de stimuler la discussion, de mettre au jour les problèmes et ainsi de mieux régler ces derniers.

S'il est efficace, le leader de l'équipe saura détecter et résoudre les conflits, et reconnaître les besoins réels des coéquipiers.

OBSERVATION 47

N'allez pas imaginer que le travail en équipe accroît la productivité.

Seul, on ne peut pas tout faire. Les grandes tâches exigent généralement le travail d'une équipe. On pourrait croire que le fait d'œuvrer au sein d'une équipe de cinq membres équivaut à la productivité de cinq personnes. Or, il n'en est rien. Lorsque vous constituez une équipe, diminuez vos attentes ; vous aurez moins de mauvaises surprises. Les raisons pour lesquelles la productivité diminue seraient en partie attribuables au fait que chacun diminue un peu ses efforts, croyant que le travail ne sera pas mesuré. De même, on se sent moins responsable et on travaille donc moins.

N'oubliez pas non plus que dans une équipe, la communication revêt une grande importance et que c'est souvent là que le bât blesse.

Malgré ces considérations, il reste qu'une équipe peut se révéler très utile et très efficace lorsqu'il s'agit d'accomplir de grandes tâches. On ne fait pas un film tout seul !

Si on a la possibilité d'évaluer le travail de chacun, on diminuera grandement les risques de problèmes. Pour cela, divisez les tâches de manière à ce que chaque membre de l'équipe ait une tâche complète à effectuer et pas seulement une partie d'un travail.

OBSERVATION 48

Tout le monde n'est pas fait pour travailler en équipe.

Chacun a son caractère et ses capacités. Pour bien performer en équipe, il faut être capable de communiquer ouvertement, simplement et honnêtement. Il est aussi important de savoir affronter ses différences et d'avoir la volonté de résoudre les conflits. Celui qui travaille en équipe doit, d'une certaine manière, sublimer ses buts personnels, ce qui peut être difficile dans nos cultures occidentales. En effet, nous voulons tous briller. Il est donc plus difficile de bâtir de bonnes équipes dans les cultures très individualisées.

Fixez-vous des objectifs et atteignez-les

Toute entreprise et tous les participants à l'intérieur de cette entreprise doivent, avant tout, savoir où ils vont. Celui qui ne sait pas où il va ne va nulle part. Mieux vous saurez définir vos objectifs, meilleures seront les chances que toute l'entreprise les partage et que vous atteigniez ce que vous souhaitez.

OBSERVATION 49

Trop d'objectifs ne vaut pas mieux que pas assez.

Nous avons tous connu des gens qui avaient mille et un objectifs en tête et n'en atteignaient jamais aucun. Il y a 24 heures dans une journée et 365 jours dans une année; il vaut donc mieux s'en tenir à ce que l'on peut faire et réaliser. Faites la liste de vos objectifs et questionnez-vous : En avez-vous trop ou pas assez ? sont-ils clairement définis ? avez-vous fixé un certain délai pour les atteindre ?

Notez qu'avoir quatre ou cinq objectifs est bien suffisant. Bien sûr, au travail, vous en aurez certains et, dans votre vie personnelle, vous en aurez d'autres. Ce qui importe, c'est de les définir clairement et de pouvoir les dire tous à haute voix sans en oublier aucun.

Un objectif est un rêve que l'on compte réaliser. Il doit comporter une échéance. Avec quelques objectifs bien définis, vous aurez des balises, ce qui vous permettra d'évaluer votre progression.

Supposons qu'en janvier vous ayez sept objectifs pour l'année. En mars, vous constatez où vous en êtes par rapport à eux. Vous voyez que vous en avez complété un et que vous êtes sur la bonne voie pour les deux autres. En mai, vous constatez que deux objectifs ont été atteints et qu'il vous en reste donc cinq. Seulement voilà, deux parmi ceux-là vous semblent inaccessibles. Que faire ? Revoyez vos priorités. Il vaut mieux que vous laissiez tomber deux objectifs et atteigniez les trois autres plutôt que de vous acharner à tenter de réaliser l'impossible.

Voici tout ce qu'un objectif doit être.

- Un objectif doit être spécifique. Il doit être clair et sans ambiguïté. Vous devez être capable de le définir en très peu de mots. Plus il est clair, plus vous serez en mesure d'en évaluer la progression.

- Un objectif doit être mesurable et comporter des chiffres. Les chiffres sont mesurables !

- Vos objectifs doivent pouvoir être fixés dans le temps. « D'ici deux mois, je souhaite atteindre ceci et, d'ici cinq ans, soit en telle année, je veux atteindre cela. »

- Un objectif doit être réaliste, accessible. Rêver, c'est bien, mais il vaut mieux rêver de ce que vous pouvez réaliser.

- Un objectif doit être lié à votre potentiel d'action et à celui de vos employés.

- Un objectif est un projet. On y travaille.

- Un objectif doit être basé sur les valeurs de votre entreprise.

- Un objectif gagne à être fixé de concert avec les collègues, les supérieurs hiérarchiques et les employés. Plus vous agissez en concertation, meilleurs seront vos résultats.

Rappelez-vous fréquemment quels sont les objectifs fixés de manière à voir si vous avancez dans la bonne direction. N'oubliez pas qu'il est préférable de ne pas persévérer si vous constatez que vous êtes sur une mauvaise voie. Comme le dit l'adage : « Seuls les fous ne changent pas d'idée. »

Rédigez vos objectifs : vous les concrétiserez déjà un peu. J'ai connu un directeur d'hôpital qui notait par écrit ses objectifs et les échéances sur de grandes feuilles suspendues au mur de son bureau. Il ne pouvait donc pas oublier les buts fixés.

Organisez régulièrement des rencontres avec les gens impliqués dans la réalisation de vos objectifs. Si vous fonctionnez en équipe, chacun doit clairement savoir ce qu'il doit faire.

OBSERVATION 50

Fixez-vous des objectifs réalistes et accessibles. Faites de même avec vos employés.

Se fixer des objectifs irréalistes augmente le niveau de stress et peut même mener à l'échec. C'est pourquoi il vaut mieux ne pas demander à vos employés d'atteindre des objectifs inatteignables. Commencez par en définir de modestes, avec date butoir. Établissez aussi quelle récompense vous octroierez à un employé ou vous vous offrirez une fois l'objectif atteint.

Prenez l'habitude de vous offrir de petits plaisirs et de récompenser également vos employés pour les objectifs atteints. Nous avons tous tendance à répéter un comportement récompensé.

OBSERVATION 51

Fixez des objectifs à vos employés.

Si vous définissez clairement le projet de votre entreprise et les objectifs qui permettront de le réaliser, vous serez déjà sur la bonne voie. De la même façon, vous aurez tout avantage à établir, de concert avec chacun de vos employés, ses tâches, ses responsabilités et ses objectifs. Plus vous êtes précis, plus vous donnerez à vos employés l'occasion de travailler adéquatement. Le meilleur test, pour vérifier si vous êtes parvenu à l'être, consiste à voir si l'employé peut clairement et succinctement définir ses tâches. S'il s'emmêle, c'est que vous n'avez pas été suffisamment clair. N'oubliez pas que les objectifs clairs ont pour effet de maintenir la motivation.

OBSERVATION 52

Encouragez la participation de vos employés.

La mode actuelle en gestion n'est pas à des directions sévères, autocrates; elle privilégie plutôt le travail d'équipe. De plus, dans certains milieux, on ne considère plus que les patrons savent tout. Il faut toutefois noter que cette gérance par consensus et par équipe est souvent plus fictive que réelle. Trois facteurs doivent être réunis pour que la participation soit effective : les employés doivent disposer du temps nécessaire pour bien effectuer leurs tâches ; il importe aussi qu'ils soient intéressés par la méthode participative et qu'ils en aient les capacités.

Développez vos qualités de leader

Vous ne croyez pas être un bon leader? Courage, vous pouvez changer. Pourquoi ne pas améliorer vos méthodes, votre attitude, vos connaissances, vos capacités? Eh oui, il existe des qualités propres au manager, et celles-ci se cultivent.

OBSERVATION 53

Ne vous prenez pas trop au sérieux.

Être patron ou gérant exige un grand sens des responsabilités et demande beaucoup. Le stress vient souvent couronner le tout. Même si vous devez accomplir des tâches ardues, gardez votre sens de l'humour (ou développez-le); c'est le meilleur moyen de vous détendre et de détendre vos collègues et employés. Plus vous êtes capable de créer un environnement plaisant autour de vous, meilleurs seront vos contacts avec les gens, et meilleures seront vos chances d'obtenir un rendement efficace. C'est simple : on travaille mieux dans la bonne humeur.

OBSERVATION 54

Si vous êtes indispensable, vous aurez de courtes vacances.

On suggère généralement de divulguer son savoir, et de faire connaître à un employé de l'entreprise, à un collègue, les différentes étapes de son travail. La raison ? Quand vous partirez en vacances, les tâches ne n'accumuleront pas pendant votre absence.

Dans tous les cas, assurez-vous que vos employés peuvent se remplacer les uns les autres si nécessaire. Vous aurez toujours de meilleurs employés que d'autres. Mais lorsqu'ils sont indispensables au fonctionnement de l'entreprise, essayez d'en former d'autres dans le même sens.

OBSERVATION 55

Développez votre ouverture d'esprit.

On ne peut diriger et motiver des gens qui ne nous font pas confiance. Le rôle d'un chef consiste à travailler de concert avec les autres pour les aider à cerner et à solutionner les problèmes. L'instabilité dans laquelle nous vivons de nos jours accroît le besoin de confiance, et l'ouverture d'esprit inspire confiance. Apprenez à faire part de toutes les informations qui pourraient être utiles à vos employés ; cela leur permettra de voir clairement leur rôle ainsi que les problèmes qui doivent être réglés.

Développez aussi votre sens de la justice et prenez le temps de considérer de quelle manière les gens perçoivent vos opinions, vos ordres, votre manière de faire. En faisant l'exercice de vous mettre à la place de vos employés, vous saurez mieux ce qu'il est bon d'exprimer et ce qu'il est bon de taire.

Dites ce que vous ressentez. Évitez une trop grande distance avec vos employés, car cela refroidit les rapports et laisse place aux malentendus.

OBSERVATION 56

Un bon chef n'est pas forcément un être extraverti.

On généralise beaucoup lorsqu'on tente de faire le portrait type d'un bon chef. On se dit : c'est forcément un être extraverti, qui s'exprime facilement et s'affirme avec simplicité. Or, rien n'est plus faux. Son allure ne dit pas tout sur une personne.

Cependant, si vous êtes à la recherche d'un poste de leader, sachez que l'on recherchera toujours une personne déterminée, qui peut prendre des décisions et qui sait voir la réalité comme elle est. Vous êtes extraverti ? Cela pourra faire bonne impression.

OBSERVATION 57

Soyez conscient de vos sources de pouvoir.

Chacun est unique et possède des pouvoirs spécifiques. Ces pouvoirs sont nos forces. Certains relèvent de la sphère personnelle, d'autres de notre statut. Plus vous êtes conscient des sources de vos pouvoirs, mieux vous saurez les exercer sans écraser les autres, en reconnaissant les leurs et en sachant vous servir de vos forces.

On trouve parmi les managers des gens qui ont une forte personnalité et d'autres qui sont discrets, voire timides. Même si les gens qui ont une personnalité extravertie semblent avoir plus de facilité à occuper des postes qui les mettent en position de pouvoir et en contact continuel avec des gens, comme je l'ai déjà mentionné, il ne faut pas en faire la caractéristique essentielle d'un bon leader.

Quels sont donc les cinq types de pouvoir que nous gagnons à connaître et à développer ?

En premier lieu, on trouve le pouvoir personnel. Ce type de pouvoir fait que les gens sont charmants et charismatiques ; on se souvient d'eux dès la première rencontre. Ce sont les gens que l'on remarque. Ils semblent à l'aise partout où ils vont. Ils ne sont pas timides. Ils paraissent bien, ils impressionnent les autres, les attirent. Ils plaisent aux autres. Il est évidemment plus facile d'être un leader lorsqu'on possède ce type de caractère, mais il faut plus que cela pour être un bon chef.

En deuxième lieu, on trouve le pouvoir relationnel, que l'on peut facilement confondre avec le pouvoir personnel ou charismatique. Pourtant, il représente autre chose. Celui qui a un pouvoir relationnel entre facilement en contact avec les gens. Il les écoute, il est attentif à eux. Il ne se démarque pas par le fait qu'il brille mais par sa capacité d'être en relation réelle avec les gens. Il interagit facilement.

En troisième lieu, on trouve le pouvoir hiérarchique. On peut avoir de grandes capacités relationnelles et un pouvoir personnel important sans pour autant se trouver en situation de pouvoir. Le pouvoir hiérarchique, c'est le rang ou le titre d'une personne. Dans toutes les sociétés et à chaque époque, on a valorisé tel ou tel type de profession, de statut. Si vous êtes président-directeur général d'une multinationale, par exemple, vous détenez un pouvoir hiérarchique que le jardinier de l'entreprise n'a pas.

En quatrième lieu, on trouve le pouvoir cognitif. Celui qui possède ce type de pouvoir a tendance à prendre en charge les problèmes et à y trouver des solutions. C'est un rapide ; il voit clair et loin, et connaît différentes approches. Il est curieux et habile intellectuellement.

Enfin, on trouve le pouvoir fonctionnel. Ce type de pouvoir, c'est le pouvoir pratique. Prenez-vous rapidement des décisions ? Réunissez-vous quelques-uns des pouvoirs ci-haut mentionnés ? Êtes-vous apte à détecter les problèmes et à envisager des solutions pratiques ? Vos supérieurs hiérarchiques vous font-ils confiance ? Vos collègues ont-ils l'habitude de se confier à vous ? Vos employés vous parlent-ils franchement de ce qui les préoccupe ? Si c'est le cas, vous possédez un pouvoir fonctionnel.

À présent, vous cernez certainement mieux vos sources de pouvoir. Si vous êtes à l'aise dans votre position actuelle, ne changez rien. Cependant, si vous voulez atteindre de nouveaux objectifs, il est peut-être temps que vous développiez certaines sources de pouvoir. Gardez en tête que vous pouvez cultiver certains talents ; même s'ils ne deviendront jamais votre force principale, vous aurez fait des efforts pour améliorer vos capacités. Si, par exemple, je remarque que je possède un bon pouvoir personnel, ainsi qu'un pouvoir relationnel, il pourrait m'être utile de faire des démarches pour acquérir plus de pouvoir hiérarchique. Voyez où vous en êtes, demandez-vous quels sont vos objectifs et développez vos pouvoirs si cela peut vous aider à les atteindre.

OBSERVATION 58

Être un bon leader, c'est détecter les vrais problèmes.

Êtes-vous capable de cerner avec précision les problèmes à solutionner? C'est là une qualité primordiale du bon manager.

Un bon leader développera une manière unique de percevoir les problèmes et les solutions. Un peu comme un photographe trace mentalement le cadre de la réalité qu'il veut cerner, le leader doit tirer un portrait de chaque situation pour mieux voir les solutions qui pourraient s'y appliquer. Il s'agit ici d'inclure certains aspects et d'en exclure d'autres.

Observez les chefs politiques. Que font-ils? Ils présentent les problèmes et des solutions sur un modèle unique. C'est la manière d'envisager et de définir les problèmes qui différencie le bon leader du moins bon leader.

Il s'agit en fait de:

* déterminer le problème;

* préciser les causes du problème;

* envisager des solutions.

OBSERVATION 59

Les grands leaders savent suivre.

Si l'on sait obéir, on saura diriger. Observez si une personne possède les qualités suivantes et vous aurez déjà de bons indices sur ses capacités de diriger. Analysez-vous et voyez si vous-même possédez ces qualités :

- Savez-vous penser par vous-même ?

- Pouvez-vous travailler de manière indépendante ?

- Pouvez-vous travailler avec les autres ?

- Pouvez-vous vous passer de supervision ?

- Vous engagez-vous véritablement dans votre travail ?

- Avez-vous des standards de qualité élevés ?

- Êtes-vous courageux ?

- Êtes-vous honnête ?

- Peut-on vous faire confiance ?

- Savez-vous écouter ?

OBSERVATION 60

Restez conscient de votre rôle de superviseur.

Être manager, c'est régler des problèmes, imaginer des solutions, développer un marché, être en contact avec des clients et gérer des employés. Vous êtes responsable d'un groupe de personnes et, en ce sens, vous devez faire en sorte de les rendre meilleures, plus efficientes.

Normalement, on pense à soi, on atteint ses propres objectifs. En tant que manager, vous devez développer votre capacité à penser aux autres et à assister chacun de manière à ce qu'il atteigne ses objectifs.

OBSERVATION 61

Tracez une ligne entre travail et vie privée.

Avec les nouvelles technologies de communication, il est de plus en plus facile de rester branché (vive la technologie !) et donc de travailler 24 heures sur 24. Aussi, de plus en plus de gens ne savent plus mettre de limites à leurs heures de travail.

En outre, les entreprises demandent souvent à leurs employés et à leurs cadres de travailler de plus et plus d'heures. En tant que patron, vous devez vous donner ainsi qu'à vos employés les moyens d'avoir un travail et une vie, plutôt qu'un travail *ou* une vie.

Il est indispensable de tracer une frontière étanche entre les sphères personnelle et professionnelle. Si vous voulez continuer à être efficace au travail, n'acceptez pas tout et ne laissez pas les obligations extraprofessionnelles grignoter progressivement votre emploi du temps.

OBSERVATION 62

Cherchez l'équilibre.

Un manager organisé n'est pas celui qui remplit toutes ses obligations professionnelles ; c'est celui qui consacre du temps à sa vie personnelle et intime, à ses proches, et qui se maintient en bonne santé.

N'oubliez pas de vous accorder des moments de détente. Cette règle est d'autant plus valable si vous êtes à votre compte et avez donc tendance à travailler de 20 à 35 % plus longtemps que vos pairs salariés. Un emploi du temps adéquat devrait inclure des plages de loisirs dans la journée ! Ne vous dites pas : « Je m'amuserai si j'ai du temps ». Amusez-vous. Ne rognez pas non plus sur le sommeil ou sur les repas, les siestes, les temps de repos. Surtout, n'oubliez pas de prendre des vacances. Plus vous serez équilibré, meilleur sera votre rendement professionnel.

OBSERVATION 63

Vous voulez réussir ? Observez ceux qui réussissent et inspirez-vous d'eux.

Observez et questionnez-vous : que font ceux qui réussissent ?

- Comment s'y prennent ceux qui réussissent dans le même secteur d'activité que vous ?

- Passent-ils beaucoup de temps à discuter? Si oui, avec qui?

- Font-ils beaucoup de réunions?

- Savent-ils trouver des solutions?

- Se plaignent-ils de ce qui ne va pas?

- Voient-ils ce qui ne va pas?

- Remettent-ils à demain ce qui est à faire ou le font-ils aujourd'hui?

- Consultent-ils leurs collègues, leurs employés?

- Etc.

OBSERVATION 64

Dites non aux gens et aux situations qui vous font perdre du temps.

Le temps est une denrée précieuse, et les situations qui vous en font perdre sont à fuir comme la peste. Au premier rang des ennemis : les réunions qui n'en finissent plus. Si vous devez en organiser, préparez-les adéquatement : vous épargnerez votre temps et celui de vos employés ou collègues. Quand votre présence n'est pas expressément requise, n'y assistez pas ; vous en lirez le résumé.

Les gens qui vous font perdre votre temps sont également à fuir. Et si vous prenez la peine d'y penser, vous vous rendrez compte qu'ils peuvent être nombreux et qu'il faut toujours être vigilant pour ne pas tomber dans les pièges de la perte de temps.

Veillez tout de même à ne pas éviter toutes les conversations et discussions par crainte de perdre votre temps ; lors d'une simple conversation, on peut établir des contacts chaleureux avec des collègues, des employés ou des patrons, et trouver de nouvelles idées.

OBSERVATION 65

Le charisme est une qualité que l'on peut développer.

Quelles sont les qualités dites charismatiques ?

- une forte confiance en soi ;
- une vision claire de l'avenir ;
- la capacité d'articuler une vision ;
- la capacité d'apporter des changements.

À propos de ces qualités, vous vous dites peut-être : « Je ne les ai pas. Je n'ai donc pas une personnalité charismatique. » Pourtant, ces qualités sont faciles à développer. Elles s'apprennent.

- Commencez par projeter une image de confiance, de dynamisme. Adoptez cette attitude même si le sentiment intérieur qui s'y rattache n'y est pas encore.

- Observez le ton de votre voix et ajustez-le en fonction de ce qui vous plaît. Sachez qu'une voix trop haute est souvent le signe d'un surinvestissement émotif.

- Quand vous parlez à quelqu'un, parlez-lui directement, franchement ; pas durement, mais sans fuir. Veillez aussi à parler clairement.

- Établissez un contact visuel et tenez-vous droit.

Bien sûr, les premiers temps, vous aurez peut-être l'impression de jouer la comédie, mais, à force de vous exercer, vous en viendrez à vous sentir plus à l'aise avec les gens. De même, si vous êtes à la recherche de personnalités charismatiques, observez si ces attitudes de confiance et de dynamisme sont présentes chez les gens et dans quelle mesure elles agissent sur votre perception d'eux.

Une personne dite charismatique sait créer une vision ; elle possède une vision unique, originale et peut la communiquer, la vendre, c'est-à-dire la partager avec les autres.

Elle sait créer un climat de confiance autour d'elle. On croit donc qu'elle est en mesure de réussir et qu'elle peut aussi aider les autres à le faire.

La personne qui a une vision charismatique est optimiste ou, à tout le moins, réaliste. Elle sait communiquer son enthousiasme et sa passion. Les êtres charismatiques communiquent avec tout leur corps. Ils créent des liens avec les autres et savent faire émerger le potentiel de chacun.

OBSERVATION 66

Soyez attentif aux autres et respectueux envers eux.

Dans la mesure du possible, adressez-vous aux gens en les nommant. Vous montrerez ainsi un intérêt personnel pour chacun. Tâchez aussi d'impliquer tous les participants dans une rencontre ou une réunion, et d'être attentif à leurs suggestions. Cela nécessite une bonne gestion du temps de parole de chacun. Évidemment, les caractères plus affirmés parleront davantage !

OBSERVATION 67

Il n'y a pas de leadership idéal.

Il est tentant de chercher une manière de diriger qui vaudrait pour toutes les situations. C'est pourtant impossible. Chaque action doit être adaptée à la situation en question.

Oubliez les recettes ; lorsque vous vous trouvez devant une nouvelle situation, fiez-vous à votre instinct, à vos connaissances et à vos intuitions.

Évitez autant que possible les « plats prédigérés ». De toute façon, vous ne trouverez pas deux situations parfaitement semblables.

De plus, vous possédez, selon votre personnalité, une approche plutôt directive ou plutôt coopérative ; vous pourrez la modifier, mais seulement jusqu'à un certain point. Celui qui a une approche directive dit à ses employés ce qu'il attend d'eux ;

il est précis et donne des balises claires. Le patron coopératif ou apportant son soutien à ses employés a plutôt une approche amicale ; il se préoccupe de ses employés et ne craint pas de mêler travail et vie personnelle.

On a donc une personnalité de type directif ou coopératif, mais notre façon de diriger dépendra également de nos employés, qui nous feront pencher d'un côté ou de l'autre de la balance. Avec certaines personnes, par exemple, vous vous rendrez compte que le style directif fonctionne mieux, alors qu'avec d'autres, vous discuterez davantage et agirez de manière à les assister plutôt qu'à les diriger.

Vous changerez également de style selon les situations. Dans une situation d'urgence, par exemple, vous ne vous poserez même pas de questions : vous donnerez des ordres.

Notez à quel genre appartient votre patron, quelle est sa manière d'agir dans telle ou telle circonstance. Observez aussi vos collègues ; vous constaterez que chacun a un style personnel et que celui-ci varie un peu selon les circonstances.

OBSERVATION 68

Chaque culture a ses manières d'agir.

Selon vos origines, vous aurez également tel ou tel type de leadership. Ainsi, dans certaines cultures, être gentil et généreux est considéré comme une marque de faiblesse. À Mexico, par exemple, on trouve un type de leadership plutôt autocrate, tandis qu'en Suède, on est davantage du type participatif. Observez votre culture, celle des gens qui vous entourent et celle de votre société.

OBSERVATION 69

Le succès d'une entreprise ou d'un projet ne repose pas uniquement sur un bon leadership.

Vous êtes le patron et ça va mal ? Tout n'est pas votre faute. En période de récession, il est plus difficile de se croire bon patron qu'en période d'expansion. Il y a dans toutes les entreprises des moments difficiles et des moments propices à la réalisation des objectifs. Une recette a fonctionné à quelques reprises ? Reprenez-la, bien sûr, mais n'allez pas croire que ce sera nécessairement toujours la bonne. La principale qualité du bon leader consiste à savoir s'adapter à de nouvelles circonstances. Adaptez-vous aussi souvent que nécessaire et vous serez un bon chef.

Et n'allez pas croire que le succès de toute opération repose sur un bon leadership ! C'est là un ingrédient non négligeable, c'est certain, mais il faut aussi autre chose : des situations favorables.

Dites adieu au stress... improductif

Si vous êtes manager, vous êtes avant tout intéressé à ce que vos efforts portent des fruits. Pour vous, la rentabilité est quelque chose d'essentiel, n'est-ce pas? Alors, rappelez-vous que le stress est improductif dès qu'il dépasse un certain stade. Prenez l'habitude de vous détendre en tout temps.

OBSERVATION 70

Attention au stress!

Le stress est utile. Il donne de l'entrain et le goût de la réussite. Grâce à lui, on peut affronter les situations d'urgence. Il permet aussi de s'adapter à son environnement. Le stress se caractérise par la sécrétion d'adrénaline, une hormone qui prépare le corps à se défendre. Là où le bât blesse, c'est que cette forte sollicitation de l'organisme peut être disproportionnée par rapport à ce qui se produit. On se prépare trop. On perd le contrôle. Le mécanisme s'emballe, on ne le contrôle plus, et c'est alors que le mauvais stress survient.

Tant chez vos employés que chez vous-même, vous devez apprendre à différencier le bon stress du mauvais stress. Une foule de signaux devraient vous éveiller. Si un employé ou vous-même êtes irritable, anxieux, dépressif ou constamment fatigué, si vous avez des problèmes de mémoire, si vous faites de l'insomnie ou abusez de l'alcool, c'est signe que le stress n'est plus contrôlé. Prenez-en conscience, ce sera un premier pas.

Observez-vous.

- Quand et comment le stress se manifeste-t-il ?
- Qu'est-ce qui le déclenche ?
- Accélérez-vous votre rythme sans raison ?
- Êtes-vous énervé par des situations qui ne le justifient pas ?
- Êtes-vous fatigué dès votre réveil ?
- Avez-vous de la difficulté à vous détendre ?

Le manque de temps est une source importante de stress. Apprenez à gérer votre temps et à hiérarchiser vos objectifs. Planifiez vos activités. Établir un calendrier de travail ou une liste de choses à faire vous permettra de définir clairement vos objectifs et des échéances précises, et de créer ainsi un rythme de travail. En rédigeant une liste de choses à faire, vous mettrez de l'ordre dans votre esprit. Ainsi, vous n'aurez plus peur d'oublier quelque chose, ce qui vous rendra déjà plus calme.

Une autre manière de réduire le stress consiste à définir clairement les tâches de chacun. Qui est responsable de quoi ? Qui fait quoi ?

Vous pouvez également cloisonner vos activités ; par exemple, de telle heure à telle heure, faire telle activité et non une autre. En vous concentrant sur une seule activité, vous serez plus satisfait des résultats obtenus et donc plus détendu.

OBSERVATION 71

Décelez les signes du stress.

Celui qui est stressé ou angoissé ne donne pas son plein rendement. Plus vous êtes calme, plus vous êtes en mesure de bien travailler.

Pour vous détendre, la première étape consiste à repérer les raisons de votre stress. N'oubliez pas que plusieurs facteurs de stress peuvent s'additionner : ceux de la vie privée et ceux de la vie professionnelle, par exemple. Ensuite, voyez si vous pouvez agir sur certaines circonstances.

En tout, voyez sur quoi vous pouvez agir.

Vous pouvez certainement bien vous nourrir, faire de l'exercice, ne pas boire trop de café, etc. Il est important aussi de vous faire plaisir, de vous récompenser lorsque vous terminez un projet ou que vous êtes satisfait d'une étape franchie. Veillez aussi à faire plaisir aux autres, qu'il s'agisse de vos collègues ou de vos employés. Dans une bonne atmosphère de travail, on est beaucoup plus efficace. Sachez aussi dire non lorsque vous manquez de temps ou lorsque vous n'êtes pas d'accord avec quelque chose. Celui qui ne sait pas dire non n'est pas respecté par les autres. Enfin, gérez votre emploi du temps de manière serrée. Ne vous laissez pas ballotter par les événements. Restez en contrôle de vous-même et vous le serez davantage dans toute situation.

OBSERVATION 72

Cultivez le calme.

Pour savoir où vous en êtes par rapport à la colère et donc au stress, observez votre comportement en automobile. Réagissez-vous agressivement au moindre ralentissement ou êtes-vous patient?

Il existe plusieurs méthodes de relaxation. Prenez le temps de respirer, ce sera déjà bénéfique. Voici une méthode qui a fait ses preuves:

Inspirez lentement par le nez et gonflez votre abdomen; retenez votre souffle pendant quelques secondes, puis expirez encore plus lentement que vous n'avez inspiré. Recommencez à quelques reprises. Le simple fait de vous concentrer sur votre respiration aura un effet calmant.

Vous pouvez également essayer la méthode suivante.

Inspirez lentement, par une seule narine, en posant votre doigt sur l'autre de façon à la boucher. Retenez votre respiration pendant huit secondes, puis expirez plus lentement que vous n'avez inspiré par l'autre narine.

Inversez le processus, et respirez à nouveau quatre fois de cette manière. Vous serez parfaitement calme après avoir appliqué cette méthode.

Veillez aussi à vous ménager des heures de calme. Branchez votre téléphone sur la messagerie, ignorez votre boîte aux lettres et prévenez votre entourage que vous ne souhaitez pas être dérangé.

Également, rangez, triez, familiarisez-vous avec le fonctionnement de votre ordinateur. Les gens perdent en moyenne deux heures par semaine à gérer les caprices de leur ordinateur ! Le saviez-vous ?

OBSERVATION 73

On s'énerve souvent à propos de détails qui n'en valent pas la peine.

Apprenez aussi à ne pas vous attarder à des détails. Il semble que 80 % de nos activités résulterait en 20 % de notre productivité. Notre journée est donc remplie de vétilles, de quotidiennetés, de détails dont il ne faut pas faire un plat chaque fois qu'ils surviennent. Le dernier 20 % de vos activités a des répercussions véritables sur votre productivité ; c'est sur cela qu'il faut vous concentrer.

Communiquez efficacement

Tout ne repose pas sur la communication, mais vous savez certainement à quel point une mauvaise communication peut paralyser une entreprise.

OBSERVATION 74

Faites circuler les informations rapidement.

Plus vous êtes en mesure de faire circuler les informations rapidement, plus votre entreprise sera compétitive. Tout ne repose pas sur les communications, mais c'est tout de même la base.

OBSERVATION 75

Ne vous contentez pas d'entendre : écoutez.

L'écoute active ? Vous avez certainement déjà entendu parler de ce concept. Il est très simple : dans une conversation, une discussion, une négociation, plus vous êtes en mesure d'écouter activement, mieux vous comprenez ce dont votre interlocuteur vous parle et plus vous pouvez y répondre de manière adéquate.

Écouter, c'est écouter les autres et non pas seulement son propre discours intérieur. Si vous apprenez à vraiment écouter, vous saurez régler toutes sortes de problèmes. Plusieurs causes peuvent vous empêcher d'écouter vos interlocuteurs : vous êtes trop occupé, vous êtes stressé ou préoccupé par ce qui se passera plus tard. Il faudrait pourtant toujours donner votre attention au moment présent et à la personne qui se trouve devant vous.

Quelques règles toutes simples sont à retenir à cet égard.

- Ne vous mettez pas sur le « pilote automatique ». Toute personne est unique et mérite votre respect et votre écoute.

- Détachez-vous de vos propres préoccupations et soyez attentif à ce que votre interlocuteur dit.

- Établissez toujours un contact visuel avec votre interlocuteur. Les yeux fuyants ne donnent pas envie de parler longuement. Établissez un contact visuel, mais ne forcez pas la note ;

n'obligez pas votre interlocuteur, par votre regard, à vous fixer sans cesse. Pour voir à quel point le contact visuel rend les rapports plus chaleureux, prenez le temps d'observer, ne serait-ce qu'une journée, de quelle manière les gens agissent autour de vous. Vous constaterez certainement que ceux qui établissent un contact visuel ont des relations directes, franches, ouvertes, ce qui leur permet de régler les problèmes rapidement.

- Lorsqu'on vous parle, montrez que vous entendez et comprenez. Hochez la tête, par exemple. On sentira alors que vous écoutez.

- Si vous êtes assis à votre bureau et qu'on vient vous parler de quelque problème, évitez de ranger votre bureau pendant que votre interlocuteur s'adresse à vous. Évitez toujours de faire autre chose pendant que quelqu'un vous parle. Arrêtez-vous pour écouter.

- Questionnez votre interlocuteur. Si un fait n'est pas clair, n'hésitez pas à lui poser des questions. Toute question qu'on pose reste une preuve que l'on a capté notre attention.

- Paraphrasez ce que vous dit votre interlocuteur, c'est-à-dire signifiez que vous avez compris en lui répétant, à votre manière, ce qu'il vient de vous dire. Transformez la phrase de manière à vérifier si vous avez bien compris ce qu'il essaie de vous dire. Si ce n'est pas le cas et que vous n'avez pas exprimé son idée, il reprendra celle-ci une autre fois. Cela dit, ne reprenez pas tout ce que votre interlocuteur vous dit, mais simplement ce qui pourrait poser problème.

- N'interrompez pas la personne qui vous parle. Se faire interrompre signifie : ce que vous dites ne m'intéresse pas, ou votre pensée n'est pas assez rapide. Même les gens assez sûrs d'eux peuvent se trouver bloqués si on les interrompt.

- Accueillez les silences sans en avoir peur.

- Observez le langage non verbal.

- Clarifiez ce qui est confus.

- Ne parlez pas... trop. Conservez un équilibre entre vos paroles et celles de votre interlocuteur.

- Posez de courtes questions et laissez l'autre répondre. Par une attitude calme et vraiment sensible, vous encouragerez les gens à parler. Les résultats sont toujours surprenants.

Rares sont les gens qui écoutent ; si vous le faites, vous trouverez une mine d'informations et des relations de travail satisfaisantes et enrichissantes.

OBSERVATION 76

Optez pour les bons moyens de communication.

Vous avez quelque chose d'important à annoncer ? Évitez le courriel comme moyen de communication. Faites mieux que cela ; lorsque vous avez quelque chose à communiquer, demandez-vous quel serait le meilleur outil pour que votre message soit entendu et qu'il donne l'occasion de trouver une solution.

Votre message s'adresse-t-il à plusieurs personnes? Nécessite-t-il une réaction ou une réponse rapide? Est-il de l'ordre du quotidien ou du normal? Étonnera-t-il ou non ceux qui le recevront?

Pour une question grave, le fait d'être en face de votre interlocuteur permet à la fois de lui faire part d'un maximum d'informations et de recevoir un maximum d'informations. Les mots utilisés, la posture que l'on prend et les gestes que l'on fait en disent long sur ce que nous pensons, ce qui est aussi vrai, bien sûr, pour la personne à qui nous parlons.

Les différents moyens de communication sont :

- le face à face ;
- le téléphone ;
- le courriel ;
- la lettre circulaire ou personnelle ;
- le bulletin ;
- le rapport...

Les bons managers ont compris l'importance des outils médiatiques. Réfléchissez au message que vous voulez faire passer, choisissez le meilleur moyen de communication et vous aurez déjà une longueur d'avance en ce qui concerne le fait d'être bien compris.

OBSERVATION 77

Gardez tout de même en tête que la source d'un problème n'est pas la communication.

On a tendance à croire que les conflits entre collègues ou patrons et employés proviennent d'une mauvaise communication. On essaie alors d'améliorer la communication et, surtout, de l'augmenter ; mais cela peut faire monter la vapeur plutôt que d'aider à régler les problèmes. Vous avez certainement déjà vécu des mésententes avec des gens, mésententes qui ne se sont pas réglées par davantage de communication, n'est-ce pas ?

Avec certaines personnes, on communique difficilement, on s'entend mal, et la solution n'est pas alors dans une communication accrue. Les conflits qui perdurent proviennent davantage du fait que des personnalités ne s'entendent pas ou ont des valeurs différentes, que d'une mauvaise communication. Il y a même des gens avec qui il vaut mieux restreindre au maximum les communications.

À l'intérieur d'une organisation, d'une entreprise ou d'un groupe, les conflits proviennent aussi souvent du fait que des sous-groupes ont des objectifs différents. Soyez attentif aux vraies raisons des conflits de manière à ne pas mettre de l'huile sur le feu en augmentant le nombre de communications.

OBSERVATION 78

Accordez tout de même sa juste place à la communication.

Soyez toujours à l'affût des nouvelles informations. Soyez clair quand vous avez quelque chose à communiquer. Mettez les cartes sur table le plus souvent possible, mais, encore une fois, ne mettez pas tous les problèmes de votre entreprise sur le dos d'un manque de communication.

OBSERVATION 79

Méfiez-vous des rumeurs, mais sachez en tirer parti.

Pour quelle raison existe-t-il des rumeurs dans toute entreprise ou organisation ? Parce que l'être humain a besoin de parler, de comprendre, de se situer, de s'adapter aux changements.

Dans un groupe, les rumeurs jouent plusieurs rôles. Parmi ceux-ci, on trouve :

- une diminution de l'anxiété devant l'inconnu, devant un événement inhabituel ou devant des changements. On s'inquiète, et c'est naturel. Chacun éprouve le besoin d'exprimer ses inquiétudes et cherche à les diminuer en avançant une explication de tel ou tel événement. Ces tentatives d'explication sont parfois des rumeurs ; elles servent alors de soupape ;

- les rumeurs donnent un sens à des informations limitées et incomplètes. Elles permettent d'ouvrir un chemin, de trouver des pistes d'explication ou de solution ;

- les rumeurs peuvent aussi servir de véhicule à un sous-groupe donné au sein du groupe ;

- les rumeurs peuvent également servir à intégrer quelqu'un dans un sous-groupe. Lorsque je fais part d'une rumeur à quelqu'un, je l'inclus, je lui envoie le message qu'il peut faire partie des nôtres. Je lui signifie également que j'ai un certain pouvoir dans l'organisation.

Les rumeurs naissent des conflits, des visions différentes des choses ; elles apparaissent lorsqu'une question suscite des ambiguïtés. Elles peuvent aussi voir le jour quand la direction d'une entreprise manque d'ouverture ou dans un milieu très compétitif.

Lorsque des changements sont imminents, par exemple, dans le cas d'un déménagement ou dans des périodes de mises à pied, les rumeurs vont bon train. Même quand les changements prévus sont positifs, la tension peut faire naître des rumeurs. Ces dernières renseignent tout bon leader sur ce qui ne va pas et sur le type d'anxiété ressenti par les membres d'une organisation. Plutôt que d'essayer de les faire taire, il faut comprendre ce qu'elles ont à dire. Le patron qui écoute pourra trouver des solutions. Un bon dirigeant essaiera de savoir qui (quel groupe ou quelle personne) est à l'origine des rumeurs et ce qu'elles indiquent comme malaise ou phase d'adaptation.

Sachez aussi que si on explique clairement tout changement ou décision, les rumeurs se feront rapidement moins nombreuses. Plus la direction d'une entreprise est transparente, moins les rumeurs y ont de prise.

OBSERVATION 80

La façon d'agir compte davantage que les mots.

Si vous êtes manager, sachez que vos employés observeront toujours davantage ce que vous faites que ce que vous dites. Si vous voulez que vos employés arrivent à l'heure, commencez par arriver à l'heure. Si vous souhaitez que vos employés soient honnêtes, soyez-le également. Toute contradiction entre ce que vous dites et ce que vous faites jouera en votre défaveur. Plus vous aurez un comportement cohérent, plus facilement on vous suivra.

Adaptez-vous au changement ou, mieux, provoquez-le

Qui dit entreprise dit à la fois stabilité et changement. Comment faites-vous pour vous adapter aux changements ? Résistez-vous ? Les provoquez-vous ? Y résister, c'est peine perdue. Il vous faudra donc soit vous adapter, soit les devancer.

OBSERVATION 81

Le changement fait partie de la vie quotidienne.

Une fois trouvée une solution à un problème, n'allez pas croire que tout sera réglé pour toujours. « Il n'existe rien de constant si ce n'est le changement », disent les bouddhistes, et cela est aussi vrai en affaires que dans la vie personnelle de chacun de nous. On ne combat pas le changement, on emboîte le pas. Plus vite vous vous adaptez à de nouvelles circonstances, meilleures seront vos chances de réussite en affaires.

Les patrons et les managers qui résistent aux changements souffrent généralement d'un stress élevé.

Gardez aussi en tête que si le changement excite et aiguise le sens du défi, il peut également fatiguer. Il faut donc bien comprendre les mécanismes d'adaptation et les vivre pleinement plutôt que de résister.

Généralement, les étapes de l'adaptation sont les suivantes :

• on commence par nier, dire non, refuser, se rebeller ;

• puis on résiste encore un peu, on s'énerve ;

• vient le temps de l'adaptation comme telle, où l'on s'habitue à une nouvelle donne ;

• on prend ensuite le temps d'explorer les aspects négatifs et les aspects positifs de la situation ;

• enfin, on s'habitue à la nouvelle situation.

Simplement en prenant conscience qu'il est normal de résister au changement lorsqu'il survient, on fait déjà un pas vers l'adaptation.

On reconnaît aux signes suivants une résistance tenace au changement :

- La personne continue d'appliquer d'anciennes règles dans un nouveau programme ;
- Elle refuse les nouvelles tâches ;
- Elle cherche à contrôler l'inévitable ;
- Elle se sent victime des autres ou d'une situation ;
- Elle se concentre sur ce qu'elle ne peut pas faire, critique les autres, se fâche ;
- Elle évite de se concentrer sur ce qu'elle peut faire.

En développant votre volonté d'accepter les changements, vous verrez se simplifier votre tâche.

OBSERVATION 82

Rares sont les adeptes du changement.

Si vous voulez apporter des changements dans votre entreprise, sachez que vous risquez de faire face à de la mauvaise humeur. En un sens, le fait que le changement ne soit pas prisé est un signe positif, puisque cela veut dire que l'on recherche la stabilité. Si tout le monde souhaitait du changement tout le temps, nous serions au beau milieu du chaos.

Cela dit, les grandes résistances au changement ne sont pas un signe positif, et on devrait normalement accueillir les changements comme des moyens d'améliorer une situation.

Ces résistances sont plus faciles à gérer quand elles sont exprimées ouvertement. À cet égard, des plaintes ou un ralentissement des activités sont des signes qui ne mentent pas. Il faut donc que cela soit dit ouvertement et discuté.

Il peut également exister des signes cachés ou peu clairs que l'on résiste à un changement. Parmi ces signes, on trouve une perte de loyauté, une moins grande motivation, de plus en plus d'erreurs commises, un taux d'absentéisme qui grimpe.

Les organisations sont par essence conservatrices et ont tendance à répéter ce qui est connu et habituel. Étant donné que tout le monde éprouve de l'insécurité face à l'inconnu, il faut que le changement effectué ait du sens et donne l'espoir d'un mieux-être ou d'une meilleure performance.

Le manager est, par son rôle, celui qui décide des changements, qui les instaure, les provoque. Il doit pourtant s'attendre à devoir faire face à des résistances. Soyez à l'écoute de ces résistances et ne vous braquez pas devant elles.

Un des moyens d'instaurer des changements avec peu de difficulté consiste à inclure les gens qui les vivront dans le processus de décision. Communiquez aussi toujours les raisons qui font que vous-même ou vos collègues ou supérieurs souhaitent faire des changements. Quand on sait le pourquoi des choses, on réagit souvent mieux.

N'allez pas croire non plus que la résistance au changement soit associée à l'âge. En fait, le caractère, la personnalité et la motivation des gens sont des indicateurs plus valables que l'âge en ce qui concerne la capacité de s'adapter au changement.

OBSERVATION 83

Le monde est une roue qui tourne.

Ne résistez pas au changement; si vous le faites, vous perdez votre temps, votre énergie, et vous serez inutilement angoissé. En étant souple, en vous adaptant aux circonstances, vous serez en mesure d'être toujours dans le réel.

Les réunions, d'accord, mais qu'elles soient utiles !

La « réunionite » est une maladie fort répandue dans les entreprises, qu'elles soient petites ou grandes. Voici ce qu'il faut faire pour ne pas l'attraper.

OBSERVATION 84

Ce qui rend une réunion efficace.

Les réunions peuvent être parfaitement inutiles dès qu'elles sont mal (ou pas du tout) organisées et qu'elles sont trop nombreuses. Parler, résumer, écrire – tout ce qu'on fait en réunion – n'est pas de l'ordre de l'action. Bien sûr, une réunion peut être très utile si elle sert à établir des objectifs et des moyens de les atteindre. Retenez toutefois ces quelques règles de base.

- N'en faites pas trop. Dès qu'on prend l'habitude de réunir tout le monde pour un oui ou pour un non, on peut être sûr d'aller vers l'inefficacité ; dès que vous vous dites « encore une réunion », c'est qu'il est temps d'apporter des corrections, de changer le rythme.

- Préparez les réunions ou assurez-vous qu'un participant le fasse. Il est préférable de distribuer l'ordre du jour avant la réunion. Veillez toutefois à ne pas le faire juste avant ; si vous distribuez l'ordre du jour de la réunion du 12 mai le 11 mai au soir, sachez que cela ne donnera pas grand-chose. Il vaut bien mieux que ce soit quelques jours avant et que vous puissiez tenir compte des changements ou ajouts qui vous seront suggérés.

- Fixez des objectifs clairs. À partir du moment où vous sortez d'une réunion de travail en étant incertain des objectifs qui étaient poursuivis, c'est que cette réunion était parfaitement inutile ou mal préparée.

- De même, on peut rendre une réunion inutile en la conduisant mal : si tout le monde parle en même temps, si les participants n'osent pas dire leur opinion, si les points à l'ordre du jour ne font pas l'unanimité, la rencontre risque de ne pas porter de fruits.

- Assurez-vous toujours qu'il y a une raison véritable à une réunion. Plus vous mènerez des réunions efficaces, plus vous serez capable d'obtenir la vraie participation de vos collègues et employés. Cela fera boule de neige.

- Assurez-vous que tout le monde puisse s'exprimer et que les participants naturellement dominants ne prennent pas toute la place. Il s'agit ici de conduire votre réunion, d'en avoir le contrôle. Bien sûr, de temps en temps, vous serez peut-être obligé d'interrompre certaines personnes, mais c'est à ce prix que les autres participants ne perdront pas leur temps.

- Commencez et terminez les réunions à l'heure. Fixez-y un temps maximum et, si possible, menez-les de manière à ce qu'elles se terminent un peu plus tôt. Cela dit, s'il s'agit de négociations, il faut atteindre les objectifs, et ce sont donc les buts qui fixeront la durée de la réunion. Si, par exemple, vous vous réunissez avec quelques employés pour organiser un blitz de vente, une fois les étapes fixées et les responsabilités données, la réunion sera terminée.

- Ne perdez jamais vos objectifs de vue. Veillez à rester à l'intérieur du sujet. Avant de terminer une réunion, demandez-vous si vos objectifs ont été atteints.

- Toute réunion doit déboucher sur des directives, des missions, des objectifs précis, des plans d'action. Si vous faites une réunion et que vous constatez qu'elle ne suscite aucune idée de changement de comportement ou d'action, changez d'approche. Ne répétez pas ce qui ne fonctionne pas.

- Donnez du temps de réaction aux participants ou demandez-leur ce qu'ils ont tiré d'une réunion. Même si on est talentueux, on aura toujours quelque chose à apprendre pour devenir plus efficace.

- N'oubliez pas que presque tout le monde manque de temps. Plus vous réussissez à ne pas en faire perdre aux gens avec lesquels vous travaillez – tout en leur donnant des outils d'efficacité, des informations, des objectifs clairs –, plus ils vous apprécieront.

OBSERVATION 85

Réunissez tous les gens concernés.

On sait qu'une équipe de travail composée de plus de dix personnes perd de son efficacité et qu'il vaut mieux la diviser en deux. Cependant, dans le cadre d'un nouveau projet, privilégiez les rencontres réunissant des acteurs de tous les niveaux et pas seulement ceux qui dirigent. Vous susciterez ainsi un maximum d'adhésion et de coopération.

OBSERVATION 86

Choisissez un lieu adéquat.

Si vous êtes en mesure de choisir le lieu de la réunion, optez pour un lieu connu et apprécié de tous. Pensez à l'ambiance que vous voulez créer. Si vous souhaitez créer un esprit de partenariat, il vaudra mieux opter pour un lieu connu et qui n'est pas intimidant.

OBSERVATION 87

Laissez la porte ouverte à l'imprévu.

Pour que votre réunion soit utile et rentable, et pour qu'elle ne provoque pas du stress ou du désintérêt chez vos joueurs, ayez un ordre du jour clair et des objectifs précis. Pour chacun de ceux-ci, fixez une durée précise et, au besoin, rappelez ces impératifs au cours de la réunion.

Cela dit, les réunions peuvent faire émerger des problèmes latents qu'il ne faut pas ignorer sous prétexte de faire vite et d'être efficace. L'efficacité consiste aussi à entendre ce qui est dit (et non dit) même quand cela dérange votre emploi du temps.

Soyez vigilant côté budget

Pas à pas, vous y arriverez. Eh oui, il y a des profits à l'horizon !

OBSERVATION 88

Quelques règles pour établir un bon budget

Un budget est un pronostic, une série de prévisions pour l'année à venir. Voici quelques observations à cet égard.

- Ne vous contentez pas de recopier celui de l'an dernier.

- Revoyez tous les documents pertinents qui s'y rattachent et tenez compte des surprises de l'an dernier.

- Rencontrez les gens susceptibles de vous donner des informations utiles sur les dépenses et les gains prévus.

- Rassemblez toutes les données requises.

- Cherchez à avoir du bon sens plus que de l'optimisme.

- Dressez votre budget.

- Vérifiez que votre pronostic est valable tout au long de l'année et corrigez la situation au fur et à mesure que les mois passent.

Normalement, un budget se construit à partir de celui des années précédentes, mais la première année, vous devrez, bien sûr, faire un budget à partir de la base zéro.

Pour vous assurer d'atteindre vos objectifs budgétaires, il existe quelques trucs.

- Gonflez les dépenses.

- Face à un patron, alignez vos dépenses sur les valeurs de la société. Si votre entreprise valorise la rapidité et l'efficacité, il sera peut-être avantageux, par exemple, de faire l'achat d'ordinateurs plus performants plutôt que de tables de travail luxueuses.

- Formulez plusieurs requêtes tout en sachant que vous devrez (et pourrez) en laisser tomber certaines.

- Développez votre capacité de penser à long terme. Par exemple, vous pouvez opter pour un budget salarial un peu élevé mais permettant d'embaucher des gens de talent, grâce auxquels vous développerez la compagnie dans le cadre d'un plan quinquennal.

OBSERVATION 89

Corrigez le tir rapidement.

Vous avez fait quelques prévisions, le temps passe et les choses ne vont pas dans le sens prévu. Que faire ?

- Éliminez ou gelez les dépenses discrétionnaires.

- Cessez le recrutement de nouveaux employés.

- Reportez à plus tard le lancement d'un nouveau produit.

- En dernier recours, gelez les salaires, le vôtre en premier lieu !

OBSERVATION 90

Le management à livre ouvert.

Le management à livre ouvert peut permettre d'améliorer la confiance mutuelle entre employés et patrons. Cela dit, c'est une arme à deux tranchants, et une grande entreprise aura rarement intérêt à agir ainsi. Une petite le fera davantage. Dans les faits, le management à livre ouvert se pratique souvent dans les premières années d'existence de l'entreprise, lorsqu'il est utile que chacun des partenaires et employés sache exactement où il en est.

Votre entreprise et vous

Votre entreprise privilégie-t-elle la loyauté ou l'innovation ? Qui sont les gens qui mènent ? Où est le pouvoir ? Où sont les têtes pensantes ?

Nous l'avons dit précédemment, chaque entreprise possède ses valeurs propres, qui tournent essentiellement autour des valeurs de loyauté, de créativité ou d'innovation. Mieux vous connaissez votre entreprise, meilleure sera votre capacité de réussir à détecter les malaises, les changements à instaurer, et à comprendre de quelle façon elle pourra croître.

OBSERVATION 91

Dites non à la pensée unique.

Dans toute organisation ou entreprise, il existe ce qu'on pourrait appeler une idéologie, soit des idées communes auxquelles on croit. Si cette idéologie est libre, si elle peut supporter d'être remise en question, et c'est un signe de santé de l'entreprise.

Si vous en arrivez à ne plus oser dire ce que vous pensez parce que vous avez l'impression que vos idées vont à l'encontre de la pensée du groupe, posez-vous des questions. Faites de même si vous sentez que des collègues ou des employés n'osent plus s'affirmer.

À cet égard, certains symptômes ne mentent pas. En voici quelque-uns.

- Les dirigeants remettent en cause toute pensée divergente de manière à renforcer une seule et même idée.

- On fait taire ceux qui ont tendance à remettre les choses en question.

- Les abstentions se font rares.

- Les gens gardent le silence.

Une équipe de travail qui ne discute pas et projette une image positive peut sembler idéale, mais, en réalité, les conflits cachés ou les non-dits lui nuiront tôt ou tard. Si quelqu'un se fait l'avocat du diable dans votre groupe de travail ou votre organisation, ne vous en plaignez pas ; cette personne vous donne l'occasion de voir clair plus souvent que vous ne le croyez. Encouragez toujours la discussion. Ne vous identifiez pas à vos opinions et appliquez cette règle aux autres : n'identifiez pas les gens à leurs opinions. N'oubliez pas que ce n'est pas un être que vous attaquez, mais une idée. L'être, lui, doit toujours garder votre respect. Ne faites pas l'autruche et, si besoin est, concentrez-vous sur les problèmes et les conflits. C'est de cette façon que vous parviendrez à les régler.

En tant que patron, n'ignorez pas les débats nécessaires ; au contraire, encouragez-les. Chacun doit pouvoir exprimer ses vues, ses opinions, ses sentiments, ses réticences ou son enthousiasme. C'est à ce prix que l'on bâtit des projets durables.

OBSERVATION 92

Sachez définir votre entreprise.

Que vous soyez ou non propriétaire de votre entreprise, êtes-vous en mesure de répondre rapidement aux questions suivantes :

- Quelle est la politique de votre entreprise ?
- Quels sont les niveaux hiérarchiques formels et informels ?
- Quels sont les modes d'action habituels ?
- Quel est le rôle de chacun ?

OBSERVATION 93

Faites une petite analyse de la compagnie pour laquelle vous travaillez.

Voici les étapes à suivre.

- Voyez quels sont les comportements reconnus et récompensés, ainsi que les sanctions prévues.

- Déterminez les liens amicaux et familiaux qui ont une incidence sur l'organisation.

- Décelez les acteurs clés.

- Repérez les meilleurs moyens d'obtenir certaines choses (un changement au budget, par exemple !).

- Une fois mise au jour ce qu'on pourrait appeler la politique de l'entreprise, vous saurez déjà mieux où vous vous situez, et quelle est votre place dans la hiérarchie réelle.

N'oubliez pas que les personnes ayant une influence notable dans votre entreprise ne sont pas nécessairement celles qui détiennent un poste dit influent. Il existe toutes sortes de manières de détenir un pouvoir, et il vous sera utile de déterminer les différents types de pouvoir dans l'organisation. Voici les questions à se poser à cet égard.

- À qui demande-t-on conseil dans votre entreprise ?

- À qui se confie-t-on ?

- Qui est considéré comme indispensable ?

- Qui déjeune avec les personnes en position d'autorité ?

- Voyez quels sont les clans, les liens familiaux et les liens amicaux dans l'entreprise.

- Déterminez aussi quelles personnes sont en concurrence avec vous.

Restez maître de la technologie

Bien des entreprises sont aux prises avec des ralentissements technologiques : ne tombez pas dans ce panneau. Soyez prévoyant.

OBSERVATION 94

En matière de technologie, la machine doit rouler.

Il ne suffit pas d'avoir les ordinateurs les plus performants, il importe aussi de savoir les utiliser et de savoir contrôler les dérapages au besoin. Rien ne ralentit plus la cadence d'une entreprise que les problèmes technologiques. Si vous êtes bien outillé en ce domaine, vous devez vous assurer d'avoir également de bons techniciens pour s'en occuper si nécessaire.

Aussi, si vous automatisez des processus de travail boiteux d'avance, vous ne vous rendrez pas service. Voyez d'abord à ce que la logistique du projet en question soit bonne. Si vous faisiez le travail à la main, comment procéderiez-vous ?

Entretenez et nettoyez régulièrement vos systèmes. Veillez aussi à faire des copies de sauvegarde de tous vos documents.

Quelques règles d'or

OBSERVATION 95

Planifiez. Privilégiez les solutions durables.

Pour répondre aux urgences, il est facile de tomber dans le piège des solutions faciles... mais temporaires. En tant que manager, une bonne part de votre rôle consiste à régler des problèmes. Il y a deux façons de régler les problèmes : les résoudre en surface et les résoudre de manière qu'ils cessent d'apparaître.

Même si c'est plus long, mettez en place des structures qui éliminent les problèmes de façon durable. Autrement dit, prenez le chemin qui semble le plus laborieux ; vous constaterez que c'est celui qui vous permet d'installer des structures stables et d'appliquer des solutions valables à long terme.

OBSERVATION 96

Une bonne planification diminue les risques de crise.

De nombreuses crises surviennent en raison d'un manque de planification. Si vous êtes presque toujours en situation d'urgence, il est probable que votre entreprise souffre d'un manque de planification. Chaque jour, prévoyez un moment de planification des activités futures ; ne faites pas que répondre aux urgences.

OBSERVATION 97

Les situations d'urgence et leurs solutions.

Même si vous avez une bonne planification, vous ferez toujours face à des situations d'urgence. Quand cela vous arrive, donnez la priorité à des solutions durables plutôt qu'à celles qui semblent faciles. Plus vous agirez en ayant en tête de régler les problèmes à long terme, mieux votre entreprise se portera.

OBSERVATION 98

Diversifiez vos tâches.

Vous êtes bloqué dans tel ou tel projet, exténué, incapable d'y voir clair ? Au lieu de vous acharner, tournez-vous vers une autre tâche ; vous reviendrez plus tard à votre casse-tête. En sachant ainsi diversifier vos tâches et ne pas vous acharner sur les difficultés, vous redoublerez d'efficacité.

OBSERVATION 99

La loi du karma existe bel et bien.

Agissez avec les autres comme vous voudriez qu'ils agissent avec vous, voilà une règle d'or en affaires. Qu'il s'agisse de vos employés, de vos collègues, de vos associés, de vos patrons ou de vos clients, veillez à traiter les gens avec respect et vous ne le regretterez pas.

OBSERVATION 100

Ayez toujours à cœur les intérêts de ceux qui travaillent pour vous.

Si les gens qui travaillent pour vous sont productifs et satisfaits de leur situation, c'est un sentiment de bien-être qu'ils renverront aux clients, et cela aura un effet boule de neige. Vous avez certainement déjà été en contact avec des employés qui semblaient mal à l'aise dans leur situation et, dans ce cas, vous n'avez sans doute pas été tenté de faire affaire avec cette entreprise, n'est-ce pas ? En agissant de façon généreuse avec vos employés, vous y gagnerez à coup sûr.

Table des matières

Avant-propos   7

Embauchez les meilleurs employés   9

OBSERVATION 1
La première impression compte,
il ne sert à rien d'ignorer ce fait.   10

OBSERVATION 2
Oubliez lesdites qualités, concentrez-vous
sur le comportement.   11

OBSERVATION 3
Faites un portrait réaliste de l'emploi à combler et de
votre entreprise.   11

OBSERVATION 4
Quelques conseils pour l'entretien d'embauche. . . .   13

OBSERVATION 5
À propos des gens heureux et des gens moroses. . 15

OBSERVATION 6
Les bons citoyens font généralement les bons
employés.................................... 17

OBSERVATION 7
Ne croyez pas que l'intelligence puisse être nuisible. 17

OBSERVATION 8
Les références valent ce qu'elles valent,
c'est-à-dire pas grand-chose................... 18

OBSERVATION 9
Chacun sa personnalité...................... 19

OBSERVATION 10
Un bon emploi selon vous ne sera pas forcément
un bon emploi selon moi. 21

OBSERVATION 11
Tout le monde n'aime pas relever des défis. 21

OBSERVATION 12
L'efficacité d'un employé se mesure, entre autres
choses, à son adaptation à la culture de l'entreprise. 22

OBSERVATION 13
Recherchez celui dont la personnalité
et le travail s'harmonisent.................... 24

OBSERVATION 14
Les expériences de travail ne sont pas
toutes transférables.......................... 25

OBSERVATION 15
Ne croyez pas que les capacités d'une personne
se fondent toujours sur une longue expérience. 27

Motivez vos employés 29

OBSERVATION 16
Prévoyez du temps pour l'intégration
des nouveaux employés. 29

OBSERVATION 17
Mettez la faute là où elle est. 31

OBSERVATION 18
De la nécessité de reconnaître le travail bien fait. . . 33

OBSERVATION 19
Vous gagnerez toujours à avoir des employés
compétents. 34

OBSERVATION 20
Les hommes et les femmes sont différemment
motivés. 36

OBSERVATION 21
Le bonheur n'est pas nécessairement productif. . . . 36

OBSERVATION 22
Les employés de différentes générations
n'ont pas les mêmes priorités. 37

OBSERVATION 23
Soyez précis lorsque vous souhaitez motiver
un employé. 38

OBSERVATION 24
Quelques moyens de motiver vos employés.. 39

OBSERVATION 25
À propos des changements
dans la manière de gérer. 40

Donnez-du *feed-back* à vos employés 41

OBSERVATION 26
Faites du *feed-back* une habitude. 41

OBSERVATION 27
Disciplinez vos employés. 42

OBSERVATION 28
Le *feed-back* doit renseigner sur un comportement
et non sur la personne elle-même. 44

OBSERVATION 29
On discute difficilement des faiblesses d'un employé. 45

OBSERVATION 30
Tout le monde veut des compliments. 46

OBSERVATION 31
Quand vous donnez du *feed-back* à un employé,
faites le tour du jardin. 46

OBSERVATION 32
Déléguez. 47

OBSERVATION 33
N'exigez pas la perfection. 48

OBSERVATION 34
Encouragez chacun de vos employés à être fier de lui. 48

OBSERVATION 35
Dirigez ceux qui en ont besoin, épaulez les autres. . 49

OBSERVATION 36
Sur la reconnaissance envers vos employés. 50

OBSERVATION 37
Consacrez du temps à vos employés. 51

OBSERVATION 38
On obtient rien sans récompense. 51

OBSERVATION 39
On obtient ce que l'on attend. 51

OBSERVATION 40
Traitez équitablement vos employés
tout en gardant en tête que tout est relatif. 52

OBSERVATION 41
Sur la reconnaissance. 55

Licenciements et mises à pied 55

OBSERVATION 42
Quand rien ne va plus avec un employé,
questionnez-vous avant d'intervenir. 55

OBSERVATION 43
Un licenciement n'est jamais chose facile. 57

OBSERVATION 44
Les mises à pied ne sont pas difficiles
seulement pour ceux qui partent. 57

Travaillez efficacement en équipe 59

OBSERVATION 45
En équipe, on a un plus grand pouvoir. 59

OBSERVATION 46
Qu'est-ce qui fait fonctionner les équipes? 60

OBSERVATION 47
N'allez pas imaginer que le travail en équipe
accroît la productivité. 63

OBSERVATION 48
Tout le monde n'est pas fait pour travailler
en équipe. 64

Fixez-vous des objectifs et atteignez-les 65

OBSERVATION 49
Trop d'objectifs ne vaut pas mieux que pas assez. . 65

OBSERVATION 50
Fixez-vous des objectifs réalistes et accessibles.
Faites de même avec vos employés 68

OBSERVATION 51
Fixez des objectifs à vos employés 69

OBSERVATION 52
Encouragez la participation de vos employés 69

Développez vos qualités de leader 71

OBSERVATION 53
Ne vous prenez pas trop au sérieux. 71

OBSERVATION 54
Si vous êtes indispensable, vous aurez de courtes
vacances. 72

OBSERVATION 55
Développez votre ouverture d'esprit. 72

OBSERVATION 56
Un bon chef n'est pas forcément un être extraverti. . 73

OBSERVATION 57
Soyez conscient de vos sources de pouvoir. 74

OBSERVATION 58
Être un bon leader, c'est détecter les vrais problèmes. 77

OBSERVATION 59
Les grands leaders savent suivre. 78

OBSERVATION 60
Restez conscient de votre rôle de superviseur. 78

OBSERVATION 61
Faites une séparation entre travail et vie privée. . . . 79

OBSERVATION 62
Cherchez l'équilibre.. 80

OBSERVATION 63
Vous voulez réussir? Observez ceux qui réussissent
et inspirez-vous d'eux. 80

OBSERVATION 64
Dites non aux gens et aux situations qui vous font
perdre du temps. 81

OBSERVATION 65
Le charisme est une qualité que l'on peut développer. 82

OBSERVATION 66
Soyez attentif aux autres et respectueux envers eux.   84

OBSERVATION 67
Il n'y a pas de leadership idéal. 84

OBSERVATION 68
Chaque culture a ses manières d'agir.. 85

OBSERVATION 69
Le succès d'une entreprise ou d'un projet ne
repose pas uniquement sur un bon leadership. 86

Dites adieu au stress... improductif. 87

OBSERVATION 70
Attention au stress!. 87

OBSERVATION 71
Décelez les signes du stress.. 89

OBSERVATION 72
Cultivez le calme.. 90

OBSERVATION 73
On s'énerve souvent à propos de détails qui
n'en valent pas la peine.   91

Communiquez efficacement   93
OBSERVATION 74
Faites circuler les informations rapidement.   93
OBSERVATION 75
Ne vous contentez pas d'entendre: écoutez.   94
OBSERVATION 76
Optez pour les bons moyens de communication. . .   96
OBSERVATION 77
Gardez tout de même en tête que la source
d'un problème n'est pas la communication.   98
OBSERVATION 78
Accordez tout de même sa juste place
à la communication.   99
OBSERVATION 79
Méfiez-vous des rumeurs, mais sachez en tirer parti. .   99
OBSERVATION 80
La façon d'agir compte davantage que les mots. . . . 101

**Adaptez-vous au changement
ou mieux, provoquez-le** 103
OBSERVATION 81
Le changement fait partie de la vie quotidienne. . . . 103
OBSERVATION 82
Rares sont les adeptes du changement. 105
OBSERVATION 83
Le monde est une roue qui tourne. 107

**Les réunions, d'accord,
mais qu'elles soient utiles!** 109

OBSERVATION 84
Ce qui rend une réunion efficace. 109

OBSERVATION 85
Réunissez tous les gens concernés. 112

OBSERVATION 86
Choisissez un lieu adéquat. 113

OBSERVATION 87
Laissez la porte ouverte. 113

Soyez vigilant côté budget 115

OBSERVATION 88
Quelques règles pour établir un bon budget. 115

OBSERVATION 89
Corrigez le tir rapidement. 117

OBSERVATION 90
Le management à livre ouvert. 117

Votre entreprise et vous 119

OBSERVATION 91
Dites non à la pensée unique. 120

OBSERVATION 92
Sachez définir votre entreprise. 121

OBSERVATION 93
Faites une petite analyse de la compagnie
pour laquelle vous travaillez. 122

Restez maître de la technologie 125

OBSERVATION 94
En matière de technologie, la machine doit rouler. . 125

Quelques règles d'or 127

OBSERVATION 95
Planifiez. Privilégiez les solutions durables. 127

OBSERVATION 96
Une bonne planification diminue les risques de crise. 128

OBSERVATION 97
Les situations d'urgence et leurs solutions. 128

OBSERVATION 98
Diversifiez vos tâches. 128

OBSERVATION 99
La loi du karma existe bel et bien. 129

OBSERVATION 100
Ayez toujours à cœur les intérêts de ceux qui
travaillent pour vous. 129